Funster 250+ Large Print Word Search Puzzles for Adults

Charles Timmerman
Founder of Funster.com

This book includes free bonus puzzles that are available here:

funster.com/bonus24

You can also join the *Funster VIP Newsletter* and be the first to find out about our new books.

A Funster Series Book.
Funster™ and Funster.com™ are trademarks
of Charles Timmerman.

ISBN: 978-1-953561-01-5

A Special Request

Your brief Amazon review could really help us. This link will take you to the Amazon.com review page for this book:

funster.com/review24

Introduction

How to Solve

These puzzles are in the classic word search format. Words are hidden in the grids in straight, unbroken lines: forward, backward, up, down, or diagonal. Words can overlap and cross each other. When you find a word, circle it in the grid and mark it off the list.

Cut It Out!

This book has wider inner margins. This means that you can easily cut or rip out the pages. Some people find this makes it more convenient to solve the puzzles.

Lemonade Stands

B	K	U	F	P	T	A	B	L	E	M	I	D	Y
B	F	I	L	S	I	K	N	I	P	K	W	U	U
E	O	F	O	R	S	A	L	E	S	O	K	P	Q
A	B	X	C	S	D	E	L	A	L	D	N	A	C
I	D	P	A	Q	N	H	N	L	W	S	I	R	H
T	U	S	T	U	E	I	E	I	E	E	R	K	A
C	N	T	I	E	I	Y	K	S	S	R	D	U	I
Y	H	R	O	E	R	S	S	P	V	U	B	I	R
I	S	A	N	Z	F	A	N	W	A	L	B	M	S
V	E	W	N	E	L	P	S	Y	E	N	O	M	U
W	R	K	Z	G	N	I	R	P	S	E	R	V	E
N	F	S	L	L	E	S	U	G	A	R	T	E	I

ADS
BOX
BUSINESS
CHAIRS
CHANGE
CUP
DIME
DRINK
FOR SALE
FRESH

FRIENDS
GLASSES
KIDS
LAWN
LOCATION
MONEY
NAPKINS
PARK
PINK
SELL

SERVE
SIDEWALK
SPRING
SQUEEZE
STRAW
SUGAR
SWEET
TABLE
UMBRELLA
YELLOW

Slot Machines

F	Y	T	L	I	T	L	U	C	K	Y	W	M	K
D	A	T	O	P	K	C	A	J	H	W	B	V	N
W	L	U	C	U	R	R	S	B	I	E	A	Z	U
S	P	O	A	G	E	E	E	N	U	T	R	O	F
B	E	Y	S	J	N	D	N	L	O	A	S	R	B
O	N	A	I	C	O	I	N	S	L	T	B	E	Y
N	N	P	N	A	N	T	N	L	H	C	T	A	M
U	Y	S	O	G	O	S	O	N	V	T	W	U	Q
S	E	S	S	O	L	D	T	T	I	D	N	A	B
N	N	L	A	D	A	V	E	N	M	P	H	D	X
T	O	E	D	I	V	Z	G	G	N	I	S	O	L
S	M	U	S	I	C	S	L	O	T	S	D	D	O

BANDIT
BARS
BETTING
BONUS
BUTTONS
CASINOS
CHERRY
COINS
CREDITS
DOLLAR
FORTUNE
FUN
JACKPOT
LOSING
LOSSES
LUCKY
MATCH
MONEY
MUSIC
NEVADA
ODDS
PAYOUT
PENNY
PLAY
RENO
SLOTS
SPINNING
TILT
VIDEO
WINNINGS

Riding an Escalator

O	Y	F	U	W	Z	X	A	S	K	D	C	B	E
T	Q	C	A	Q	Y	O	R	Q	T	N	W	M	O
R	F	L	A	T	E	M	O	I	X	E	D	I	R
E	K	I	E	L	E	C	T	R	I	C	P	L	X
A	C	F	L	R	G	P	O	S	G	S	B	C	Q
D	A	B	E	O	E	N	M	N	L	E	S	A	P
S	R	T	R	O	P	R	I	A	V	D	N	U	F
T	T	L	P	L	M	D	N	P	E	E	B	T	R
O	L	L	A	F	L	D	W	V	P	L	Y	I	X
R	E	A	U	I	I	W	O	X	I	O	A	O	H
E	X	M	U	N	A	M	D	C	G	T	H	N	R
Q	E	B	G	Q	R	G	B	Y	S	A	E	S	B

AIRPORT
BUILDING
CAUTION
CLIMB
CONVEYOR
DESCEND
DOWN
EASY
ELECTRIC
FALL
FLOOR
FUN
LANDING
LIFT
MALL
METAL
MOTOR
MOVE
PEOPLE
PUBLIC
RAIL
RIDE
SAFETY
SHOPPING
STAIR
STEP
STORE
TRACK
TREADS
WALK

Visit Switzerland

P	B	E	R	N	S	E	H	C	T	A	W	J	Y
B	O	G	E	A	Y	T	C	S	F	D	L	O	C
S	Y	C	N	T	E	R	I	T	O	T	U	S	E
K	R	H	I	I	L	A	R	S	N	R	C	P	N
I	T	E	D	O	L	V	U	I	D	R	E	L	I
I	N	E	I	N	A	E	Z	R	U	E	R	A	W
N	U	S	E	C	V	L	D	U	E	P	N	V	S
G	O	E	H	N	A	E	P	O	R	U	E	E	N
H	C	N	E	R	F	L	T	T	Y	B	S	N	O
G	Y	N	A	M	R	E	G	H	T	L	A	E	W
C	N	A	R	F	C	B	A	N	K	I	N	G	M
S	S	I	W	S	N	O	T	N	A	C	N	U	F

ALPS
BANKING
BERN
CANTONS
CHEESE
COLD
COUNTRY
EUROPEAN
FONDUE
FRANC

FRENCH
FUN
GENEVA
GERMANY
GLACIERS
HEIDI
LUCERNE
NATION
REPUBLIC
SKIING

SNOW
SWISS
TOURISTS
TRAVEL
VALLEYS
WATCHES
WEALTH
WINE
YODELING
ZURICH

Terrific Tongues

M	T	W	P	G	B	L	S	P	P	P	T	E	Y
Q	Y	Y	H	I	F	W	I	S	E	C	A	F	O
L	D	M	T	G	O	I	L	C	M	T	L	L	R
Z	H	E	O	L	U	D	V	B	K	O	K	P	G
T	T	T	L	T	M	O	E	S	A	L	I	V	A
W	E	A	U	B	A	U	R	K	P	E	N	S	N
I	W	L	E	O	I	N	S	R	R	P	G	D	T
S	T	A	T	D	M	X	A	C	I	O	O	U	X
T	L	P	S	E	V	R	E	N	L	O	F	B	R
E	J	L	A	R	O	D	K	L	F	E	O	U	G
R	H	H	T	E	E	T	Y	O	F	V	O	I	V
N	K	T	Z	L	V	S	F	G	A	S	R	N	W

ANATOMY
BITE
BUDS
EAT
FACE
FLEXIBLE
FOOD
FORKED
LICK
MOIST
MOUTH
MUSCLE
NERVES
ORAL
ORGAN
PALATE
PIERCED
PINK
RED
ROOF
ROUGH
SALIVA
SILVER
SOUR
SWALLOW
TALKING
TASTE
TEETH
TWISTER
WET

Making Vehicles

G	D	R	O	F	Q	X	H	B	R	A	N	D	I
M	E	C	O	M	P	A	N	Y	P	R	I	C	E
C	A	S	K	C	U	R	T	R	U	D	M	R	N
J	R	Z	I	M	P	O	R	T	M	N	O	E	A
P	M	E	D	G	X	S	A	S	A	Y	D	N	S
T	I	A	L	A	D	S	E	U	R	R	E	A	S
S	C	I	T	S	E	M	O	D	K	O	L	U	I
S	H	K	A	O	Y	G	B	N	E	T	S	L	N
B	I	P	I	L	Y	R	D	I	T	C	T	T	S
O	G	E	F	I	K	O	H	O	S	A	R	R	P
J	A	P	A	N	B	U	T	C	D	F	A	E	Q
H	N	A	D	E	S	I	G	N	S	C	P	O	M

BRAND
CARS
CHRYSLER
COMPANY
DESIGNS
DODGE
DOMESTIC
FACTORY
FIAT
FORD
GASOLINE
GMC
HYUNDAI
IMPORT
INDUSTRY
JAPAN
JOBS
KIA
MARKETS
MAZDA
MERCEDES
MICHIGAN
MODELS
NISSAN
PARTS
PRICE
RENAULT
SATURN
TOYOTA
TRUCKS

Bathrooms

S	D	D	Y	T	I	N	A	V	K	S	G	U	R
K	C	D	I	O	T	P	C	W	O	D	N	I	W
N	L	L	C	I	C	O	L	R	K	N	I	S	D
G	E	L	U	L	I	O	O	U	A	B	T	A	Q
S	A	J	X	E	M	T	T	F	M	O	H	U	G
G	N	I	H	T	A	B	H	O	W	B	G	N	M
Y	C	A	V	I	R	P	C	E	A	A	I	A	A
R	Y	I	D	E	E	K	L	T	B	G	L	N	W
O	K	A	O	S	C	S	H	I	G	P	U	C	G
Z	R	O	R	R	I	M	O	O	P	M	A	H	S
A	P	U	E	K	A	M	H	R	E	W	O	H	S
R	K	C	S	T	E	A	M	Q	M	C	O	W	Z

BATHING
BATHMAT
CERAMIC
CLAWFOOT
CLEAN
CLOTH
COMB
CUP
FAN
GEL

HOGGING
LIGHTING
MAKEUP
MIRROR
PLUMBING
PRIVACY
RADIATOR
RAZOR
RUGS
SAUNA

SHAMPOO
SHOWER
SINK
SOAK
STEAM
TILES
TOILET
TOWEL
VANITY
WINDOW

Static

Y	L	A	T	E	M	K	H	X	I	A	T	O	M
R	S	H	T	Y	T	I	R	A	L	O	P	M	V
D	E	V	I	T	A	G	E	N	U	A	N	P	H
N	T	Y	N	I	R	B	Q	C	I	S	B	A	V
U	N	M	O	D	U	A	H	N	K	U	I	T	O
O	E	U	O	I	Y	P	C	K	P	R	Y	E	L
R	R	M	L	M	C	N	Z	T	H	F	G	P	T
G	R	D	L	U	L	S	A	K	Y	A	R	R	A
B	U	R	A	H	I	P	P	M	S	C	E	A	G
P	C	Q	B	I	N	A	S	C	I	E	N	C	E
O	Z	O	N	E	G	R	A	H	C	C	E	Q	O
Y	V	O	D	P	S	K	C	O	S	H	O	C	K

ATOM
ATTRACT
BALLOON
BUILD UP
CARPET
CHARGE
CLING
CURRENT
DRY
DYNAMIC

ENERGY
GROUND
HAIR
HUMIDITY
ION
METAL
NEGATIVE
OZONE
PAIN
PHYSICS

POLARITY
RUB
SCIENCE
SHOCK
SOCKS
SPARK
SURFACE
TOUCH
VOLTAGE
ZAP

Movies

S	O	U	N	D	B	F	E	A	T	U	R	E	I
X	E	Y	N	M	P	U	A	C	C	E	D	L	M
A	A	D	O	R	R	O	D	M	N	T	Q	E	A
M	A	T	I	N	E	E	P	G	A	A	O	E	G
I	T	T	T	T	M	L	I	C	E	R	M	R	E
L	R	I	C	L	I	S	L	F	O	T	D	O	S
C	A	C	A	Y	E	N	S	I	D	R	S	E	R
K	I	K	E	D	R	D	G	L	R	E	N	M	A
R	L	E	U	Q	E	R	P	M	T	H	G	A	T
A	E	T	F	P	R	E	T	A	E	H	T	C	I
D	R	S	A	R	T	X	E	R	N	E	G	I	N
M	O	V	I	E	T	P	I	R	C	S	X	T	G

ACTION
ACTORS
BUDGETS
CAMEO
CLIMAX
DARK
DESIGNER
DISNEY
DRAMA
EDITING

EXTRAS
FEATURE
FILM
GENRE
IMAGES
MATINEE
MOVIE
POPCORN
PREMIERE
PREQUEL

RATING
REEL
ROMANCE
SCRIPT
SET
SOUND
THEATER
THRILLER
TICKETS
TRAILER

Sporting Goods

R	A	B	K	P	H	A	T	S	T	T	I	M	B
A	R	E	I	K	Y	E	K	C	O	H	A	O	Q
E	R	H	C	K	M	S	K	C	U	P	X	B	P
G	O	G	G	L	E	S	T	H	G	I	E	W	J
N	W	M	E	R	O	S	X	G	N	I	I	K	S
I	S	H	U	Y	E	T	L	G	O	L	F	R	I
D	E	L	N	N	R	S	H	O	E	S	I	U	N
D	V	S	O	S	R	E	N	I	A	R	T	G	N
A	O	C	N	F	I	S	H	I	N	G	N	B	E
P	L	U	N	Y	K	P	P	C	C	G	E	Y	T
A	G	O	Y	S	O	C	C	E	R	L	S	P	S
I	T	V	D	I	D	D	N	U	Y	A	S	S	N

ARCHERY
ARROWS
BAT
BIKES
BOXING
CLOTHING
CONES
FISHING
FITNESS
GEAR

GLOVES
GOGGLES
GOLF
GUNS
HATS
HELMET
HOCKEY
LURES
MITT
NETS

PADDING
PUCKS
RUGBY
SHOES
SKIING
SOCCER
TENNIS
TRAINERS
WEIGHTS
YOGA

Gossip

S	E	Q	C	H	H	X	J	U	I	C	Y	B	I
E	S	E	C	R	U	O	S	Y	R	O	T	S	U
C	O	L	U	M	N	A	E	M	U	G	T	N	L
R	C	B	T	A	P	E	R	S	O	N	A	L	E
E	I	B	A	Q	L	R	E	P	S	I	H	W	S
T	A	A	T	T	A	C	K	P	V	L	C	H	L
F	L	B	T	S	S	U	C	S	I	D	E	E	A
T	U	A	L	S	F	R	I	E	N	D	S	A	F
T	R	U	E	G	O	V	E	R	H	E	A	R	Z
P	R	I	V	A	T	E	B	L	Y	M	B	F	Z
A	L	G	D	B	B	D	D	N	I	K	N	U	U
X	K	F	P	H	O	N	E	W	S	B	A	L	B

ATTACK
BABBLE
BLAB
BUZZ
CHATTY
COLUMN
DIRT
DISCUSS
EARFUL
FALSE
FRIENDS
GAB
JUICY
LIES
MEAN
MEDDLING
NEWS
OVERHEAR
PERSONAL
PHONE
PRATTLE
PRIVATE
SECRET
SOCIAL
SOURCE
STORY
TATTLE
TRUE
UNKIND
WHISPER

Horse Shows

O	E	B	E	V	E	N	T	P	K	Z	B	Q	S
N	S	K	I	L	L	W	O	H	S	Z	R	I	S
T	R	I	B	B	O	N	R	E	G	D	U	J	A
E	O	A	E	N	Y	H	A	R	N	E	S	S	L
M	H	E	C	H	A	M	P	I	O	N	H	C	C
L	M	G	N	I	T	L	U	A	V	G	F	N	O
E	R	J	E	I	N	T	R	A	I	L	E	R	U
H	O	U	I	J	U	G	T	R	A	I	N	E	R
T	F	M	D	B	P	Q	D	T	W	S	C	T	S
O	R	P	U	O	A	R	E	N	A	H	E	S	E
R	E	G	A	S	S	E	R	D	R	I	R	E	Q
T	P	E	L	D	D	A	S	C	D	N	L	W	U

ARENA
AUDIENCE
AWARD
BRUSH
CHAMPION
CLASS
COURSE
DRESSAGE
ENGLISH
EQUINE

EVENT
FENCE
HARNESS
HELMET
HORSE
JUDGE
JUMP
PERFORM
PONY
RACING

RIBBON
SADDLE
SHOW
SKILL
TAIL
TRAILER
TRAINER
TROT
VAULTING
WESTERN

Advertisements

P	O	S	T	E	R	S	T	C	U	D	O	R	P
O	S	I	G	N	S	Y	E	J	C	P	T	O	C
I	S	D	S	C	Q	G	N	I	L	L	E	S	A
D	E	R	S	E	O	M	R	N	O	I	G	N	R
A	R	Y	E	E	I	N	E	G	T	A	R	O	S
R	P	Q	N	Y	A	C	T	L	H	M	A	P	E
Q	R	S	I	A	L	A	N	E	I	F	T	S	R
X	I	E	S	S	P	F	I	E	N	I	L	N	O
R	N	L	U	E	U	M	P	D	G	T	M	O	T
L	T	A	B	Y	E	N	O	M	E	A	S	G	S
A	N	S	N	O	P	U	O	C	P	M	A	O	Z
B	V	J	H	T	U	R	T	S	N	L	S	L	C

AGENCIES
BUSINESS
CARS
CLOTHING
COMPANY
CONTENT
COST
COUPONS
FLYERS
INTERNET

JINGLE
LOGO
MAIL
MEDIA
MONEY
ONLINE
PENS
POSTERS
PRESS
PRINT

PRODUCTS
RADIO
SALES
SELLING
SIGNS
SPAM
SPONSOR
STORES
TARGET
TRUTH

Taxes

L	K	R	E	F	U	N	D	E	W	O	S	P	S
I	P	E	R	S	O	N	A	L	N	T	Q	A	S
A	A	C	Y	T	R	E	T	U	R	N	E	Y	O
M	Y	O	R	I	E	B	M	E	I	V	T	M	R
Y	S	R	A	D	R	B	S	E	A	R	T	E	G
C	T	D	L	E	E	S	T	S	E	A	R	N	Y
S	U	S	A	R	T	A	I	P	X	S	E	T	N
O	B	K	S	C	L	O	O	P	I	T	M	W	E
O	S	G	N	I	N	R	A	E	I	E	O	A	I
E	T	A	T	S	P	Y	S	D	W	S	C	G	L
L	A	R	E	D	E	F	O	R	M	S	N	E	T
O	P	A	Y	R	O	L	L	A	I	A	I	S	R

ASSETS
BREAKS
CREDITS
EARNINGS
EVASION
FEDERAL
FORMS
GROSS
INCOME
IRS

LATE
LIEN
MAIL
NET
NUMBERS
OWED
PAYMENT
PAYROLL
PAYSTUBS
PERSONAL

PROPERTY
RECEIPT
RECORDS
REFUND
RETURN
SALARY
STATE
STRESS
TAXPAYER
WAGES

Wheelchairs

E	E	Y	S	P	O	R	T	S	G	E	L	A	A
R	L	I	F	G	D	H	E	A	L	T	H	H	C
A	I	A	C	C	E	S	S	P	O	A	S	T	D
F	B	D	M	O	V	E	M	E	N	T	C	R	E
P	O	K	E	F	H	Y	L	D	A	S	O	A	R
H	M	O	H	C	R	O	L	E	N	A	O	V	E
V	S	K	T	U	B	E	S	U	C	C	T	E	W
R	A	U	J	R	S	M	R	P	T	T	E	L	O
A	R	N	P	I	E	S	G	N	I	K	R	A	P
C	I	L	L	N	E	S	S	V	S	T	F	I	L
E	P	A	T	I	E	N	T	U	R	I	A	H	C
S	L	N	O	I	T	O	M	A	N	U	A	L	N

ACCESS
CAST
CHAIR
CRUTCHES
ELECTRIC
FOOTREST
HANDLES
HEALTH
HOSPITAL
ILLNESS

INJURY
LEGS
LIFT
MANUAL
MOBILE
MOTION
MOVEMENT
NURSE
PARKING
PATIENT

POWERED
PUSH
RACES
RIDE
SCOOTER
SEAT
SIT
SPORTS
TRAVEL
VAN

In the Kitchen

```
C U T L E R Y D I Q P L N D
B S R S X F E V E I S W O D
N L E T S L O W K U T O R R
E O D R P A R K E N F B I A
V O N A A T C O O K I N G W
O T A I T W L O R H S V P E
T M L N U A E B E S N O E R
S O O E L R A K V U O K E S
S R C R A E N O A R O P L K
E T A L P O I O E B P A E R
R A T O V E N C L O S N R O
P R E T A R G H C R A S H F
```

BAKEWARE
BOWL
BRUSH
CLEANING
CLEAVER
COLANDER
COOKBOOK
COOKING
COPPER
CUTLERY
DRAWER
FLATWARE
FOOD
FORKS
GRATER
IRON
KNIVES
MORTAR
OVEN
PANS
PEELER
PLATE
PRESS
SIEVE
SKEWER
SPATULA
SPOONS
STOVE
STRAINER
TOOLS

Bike Parts

P	D	S	X	H	H	X	L	B	E	L	L	Q	M
U	W	R	U	E	U	O	I	L	H	F	I	C	W
Z	R	M	V	C	C	B	R	T	E	S	G	O	C
B	O	L	T	K	R	T	U	N	T	P	H	P	O
Z	A	A	M	A	F	A	D	I	F	R	T	E	T
V	X	T	K	I	O	E	N	G	I	O	H	D	T
Q	L	E	F	E	R	E	S	K	H	C	E	A	E
N	E	M	E	Z	K	N	L	L	S	K	R	L	R
Q	W	B	L	S	P	I	N	D	L	E	I	E	A
B	E	K	U	C	R	A	E	G	N	T	T	V	C
W	S	G	G	T	E	H	V	F	R	A	M	E	K
H	T	G	Z	T	W	C	G	Z	N	U	H	R	W

AXLE
BELL
BOLT
BRAKE
CHAIN
COGSET
COTTER
CRANKSET
FENDER
FORK

FRAME
GEAR
HANDLE
HORN
HUB
LEVER
LIGHT
LOCK
LUG
METAL

NUT
PEDAL
RACK
RIM
SHIFT
SPINDLE
SPROCKET
TIRE
TUBE
VALVE

Reprimand

P	Q	N	M	F	Y	L	S	H	A	M	E	N	Z
O	Q	N	A	G	H	T	U	O	H	S	N	A	W
I	D	U	O	L	R	E	P	R	O	A	C	H	B
N	L	Y	A	O	E	C	O	R	R	E	C	T	I
T	A	E	N	D	A	N	E	T	P	E	Y	R	R
R	D	G	K	H	M	U	U	R	P	S	E	E	A
O	B	I	M	P	L	O	R	E	U	I	L	H	T
P	H	N	R	A	W	N	N	D	N	T	L	C	E
E	T	A	R	E	B	E	R	I	I	S	C	A	M
R	C	U	H	V	C	D	E	H	S	A	D	E	A
A	C	C	U	S	E	T	T	C	H	H	N	T	L
E	K	U	B	E	R	U	S	N	E	C	U	C	B

ACCUSE
ADMONISH
BERATE
BLAME
CENSURE
CHASTISE
CHEW OUT
CHIDE
CORRECT
DENOUNCE

DIRECT
FAULT
IMPLORE
IRATE
LECTURE
LOUD
NAG
POINT
PUNISH
REAM

REBUKE
REPORT
REPROACH
SHAME
SHOUT
STERN
STRONG
TEACHER
WARN
YELL

Cruise Ships

P	X	W	J	D	W	V	G	Y	M	K	O	S	P
G	N	I	V	I	D	A	F	W	A	O	N	Z	S
T	R	E	C	N	O	C	B	W	J	I	I	T	D
S	S	Q	L	N	E	A	A	P	H	P	S	E	N
W	R	W	U	E	C	T	L	P	Y	E	A	F	A
I	A	R	B	R	N	I	L	P	T	O	C	F	B
M	B	T	S	A	A	O	R	N	R	P	N	U	P
X	A	L	E	R	D	N	O	K	A	L	M	B	V
F	O	C	N	R	H	C	O	E	P	E	I	I	X
V	O	K	C	I	S	U	M	N	A	T	S	N	J
S	H	O	P	S	P	A	C	L	F	I	B	G	N
W	F	Z	D	E	G	N	S	B	T	P	O	O	L

BALLROOM
BANDS
BARS
BINGO
BUFFET
CASINO
CLUBS
CONCERT
CONTESTS
DANCE
DINNER
DIVING
DOLPHINS
FOOD
GAME
GYM
MEALS
MUSIC
OCEAN
PARTY
PEOPLE
POOL
RELAX
SHOP
SPA
SWIM
TAN
VACATION
VISIT
WATER

Starts with a J

S	U	S	E	J	A	P	A	N	E	S	E	Y	G
L	Y	J	J	J	E	D	E	K	R	E	J	R	S
E	Q	O	A	U	U	A	S	E	L	G	N	U	J
W	J	L	I	Y	G	S	L	S	L	J	X	J	U
E	U	L	L	R	B	G	T	O	J	A	W	S	P
J	N	Y	E	A	G	E	L	I	U	R	B	S	I
U	I	L	D	U	J	U	Z	I	C	S	T	Q	T
M	O	U	J	N	J	O	U	R	N	E	Y	S	E
P	R	J	J	A	G	G	E	D	K	G	X	A	R
I	P	S	Z	J	J	U	I	C	Y	S	B	O	J
N	T	Z	D	E	M	M	A	J	O	K	I	N	G
G	N	I	G	D	U	J	U	M	P	E	R	S	Z

JACKETS
JAGGED
JAILED
JAMMED
JANUARY
JAPANESE
JARS
JAWS
JAZZ
JEALOUSY
JERKED
JESUS
JETS
JEWELS
JOBS
JOKING
JOLLY
JOURNEYS
JUDGING
JUGGLERS
JUGGLING
JUICY
JULY
JUMPERS
JUMPING
JUNGLES
JUNIOR
JUPITER
JURY
JUSTICE

Getting Better

I	W	T	E	N	H	A	N	C	E	X	C	E	L
G	O	R	U	B	S	S	T	L	U	S	E	R	G
R	R	I	Q	K	S	P	N	T	Q	X	N	O	Y
E	K	A	I	Q	O	T	E	M	A	D	A	U	H
F	T	L	T	L	S	X	U	V	A	L	C	T	P
I	L	A	I	T	E	O	Q	D	O	S	E	I	O
N	C	S	R	R	R	A	E	C	Y	R	T	N	R
E	H	O	C	U	P	G	R	A	S	P	P	E	T
D	N	I	A	P	C	E	F	L	A	D	E	M	R
G	S	I	L	C	A	C	I	N	I	L	C	L	I
E	O	Y	W	T	H	P	A	T	I	E	N	C	E
J	V	U	E	T	I	C	E	R	E	P	E	A	T

ACCURATE
APPLY
CLINIC
COACH
CREATE
CRITIQUE
ENHANCE
EXCEL
EXERCISE
FREQUENT
GOAL
GRASP
IMPROVE
MASTER
MEDAL
PATIENCE
POLISH
RECITE
REFINE
REPEAT
RESULTS
ROUTINE
SKILL
STRONG
STUDY
TALENT
TRIAL
TROPHY
WIN
WORK

Grapes

S	H	T	M	E	F	S	S	E	R	P	W	R	J
M	G	M	N	G	B	R	P	X	B	U	I	A	R
A	R	G	I	A	E	I	A	G	L	R	N	I	B
J	E	N	K	T	R	D	C	N	A	P	E	S	Z
E	E	I	S	N	R	R	R	J	C	L	S	I	B
L	N	N	T	I	Y	I	U	S	K	E	M	N	J
L	A	U	I	V	L	N	S	C	L	C	R	S	W
Y	E	R	U	W	Q	K	H	D	B	U	N	C	H
I	L	P	R	T	D	H	E	Z	O	D	H	O	I
C	B	T	F	A	P	E	D	S	K	O	J	L	T
H	A	R	V	E	S	T	R	R	K	R	F	O	E
F	T	G	L	K	M	T	N	A	L	P	Y	R	G

BERRY
BLACK
BUNCH
COLOR
CRUSHED
CURRANT
DRINK
EAT
FOOD
FRANCE

FRUITS
GREEN
HARVEST
JAMS
JELLY
PLANT
PRESS
PRODUCE
PRUNING
PURPLE

RAISINS
RED WINE
RIPE
SEEDLESS
SKIN
SOUR
TABLE
VINTAGE
WHITE
WINES

Water Skiing

S	S	E	L	N	I	F	L	O	A	T	X	C	X
P	M	U	J	C	D	S	Y	O	U	B	G	A	W
I	E	P	O	R	W	O	T	P	A	N	E	B	S
T	P	Y	O	O	P	Y	R	L	I	D	C	L	T
I	O	C	U	U	O	I	A	M	R	D	A	E	N
K	B	O	L	C	G	N	M	I	N	L	F	C	U
S	S	L	F	H	C	I	V	I	O	W	R	R	T
H	E	F	T	E	K	E	H	M	A	D	U	O	S
D	R	E	D	S	R	E	T	T	O	P	S	F	B
R	V	E	H	F	B	A	E	K	A	W	A	I	D
R	E	T	S	A	F	R	B	I	N	D	I	N	G
X	R	A	C	E	R	A	M	P	S	T	A	N	D

BALANCED
BAREFOOT
BEHIND
BINDING
BUOYS
CABLE
CORD
CROUCHES
DRIVER
FASTER
FEET
FINLESS
FLOAT
FORCE
JUMP
OBSERVER
PULLED
RACER
RAMPS
SKI TIPS
SKIMMING
SLALOM
SPOTTER
STAND
STUNTS
SURFACE
TOW ROPE
UPRIGHT
WAKE
WATER

Paper

W	I	M	J	T	I	S	S	U	E	H	X	B	G
D	O	N	J	D	G	C	R	E	B	I	F	T	G
S	Z	O	K	E	H	P	E	P	W	M	R	P	M
H	I	D	D	O	L	O	A	E	C	A	A	Q	A
J	N	O	O	A	O	R	M	M	T	G	R	S	G
A	E	L	N	S	W	B	S	E	E	I	U	D	K
D	W	E	L	I	E	H	L	S	W	R	H	A	T
F	S	R	E	Z	E	C	G	R	Y	O	I	W	Y
J	Z	A	T	E	Y	A	I	P	U	C	R	D	W
P	L	S	T	C	B	T	A	F	O	M	W	K	H
N	M	E	E	B	E	P	R	P	F	O	L	D	S
H	D	R	R	E	B	F	Y	E	N	O	M	W	L

ART
BAG
BOOK
COPY
CUP
DRAW
ERASER
FIBER
FOLD
HAT

HOMEWORK
INK
LETTER
MONEY
NEWS
OFFICE
ORIGAMI
PAGES
PAPYRUS
PLANES

REAM
RECYCLE
SCHOOL
SHEET
SIZE
TISSUE
WHITE
WOOD
WRAP
WRITE

U.S. Tour

E	V	I	R	D	A	I	N	I	G	R	I	V	R
R	E	M	Y	R	K	T	N	E	W	Y	O	R	K
U	G	A	O	S	S	D	L	N	O	T	S	O	B
T	A	I	S	E	A	O	M	A	L	A	T	E	D
L	S	M	E	I	R	O	T	L	N	O	A	L	G
U	T	F	M	K	B	F	Y	P	U	T	R	N	U
C	A	L	I	C	E	E	A	R	N	O	I	X	E
O	T	Y	T	O	N	C	I	I	W	T	Z	C	L
A	E	S	E	R	I	S	A	A	I	Q	O	A	P
S	S	U	U	F	T	R	E	S	E	D	N	R	O
T	K	O	I	S	T	S	I	T	E	X	A	S	E
S	J	C	I	T	Y	V	X	I	N	E	O	H	P

AIRPLANE
ALAMO
ARIZONA
ATLANTIC
BOSTON
CAR
CITY
COASTS
CULTURE
DESERT
DRIVE
FLY
FOOD
JOURNEY
MIAMI
NEBRASKA
NEW YORK
PACIFIC
PEOPLE
PHOENIX
ROCKIES
SEAWORLD
STATES
TEXAS
TOURISTS
TRAIN
VEGAS
VIRGINIA
VISITING
YOSEMITE

Wear a Helmet

S	A	F	E	T	Y	L	M	R	O	F	I	N	U
S	G	O	W	C	E	F	J	E	R	I	D	E	E
E	N	O	N	B	A	C	V	I	P	A	R	T	S
L	I	T	I	V	G	F	I	D	N	E	E	B	L
G	L	B	A	P	I	T	H	L	T	J	C	G	S
G	C	A	R	H	P	S	P	O	O	W	U	E	U
O	Y	L	B	A	L	W	O	S	H	P	L	R	W
G	C	L	D	E	A	C	L	R	O	K	X	S	Y
D	L	E	I	H	S	A	R	A	C	I	N	G	H
O	G	N	I	T	T	A	B	U	K	S	R	E	M
W	O	R	K	E	I	X	B	S	E	M	A	G	O
U	T	V	M	Y	C	O	Y	X	Y	D	C	J	I

BASEBALL
BATTING
BRAIN
BUCKLE
CYCLING
FACE
FOOTBALL
GAME
GEAR
GOGGLES

HAT
HEAD
HOCKEY
INJURY
METAL
PAD
PITH
PLASTIC
POLICE
RACING

RIDE
SAFETY
SCOOTER
SHIELD
SKI
SOLDIER
STRAP
UNIFORM
VISOR
WORK

Christmastime

P	Y	B	Y	T	O	Y	S	E	V	L	E	A	A
S	R	U	R	H	P	C	L	L	K	O	V	N	Y
U	H	E	C	U	P	A	F	I	L	A	G	N	A
G	G	O	E	H	D	R	E	B	M	E	C	E	D
F	N	R	P	D	I	O	E	J	L	A	B	M	I
W	O	I	E	P	N	L	L	S	S	A	F	E	L
S	R	O	V	E	I	I	D	P	E	N	Z	S	O
T	P	E	D	I	N	N	E	R	H	N	O	I	H
A	T	N	A	S	G	G	G	R	E	T	T	W	A
R	X	D	Y	T	I	V	I	T	A	N	R	S	J
J	O	S	E	P	H	R	E	G	N	A	M	I	M
G	H	G	I	E	L	S	T	H	G	I	L	M	B

ANGELS
BELLS
BIRTH
CAKE
CAROLING
CHILDREN
DECEMBER
DINNER
ELVES
FAMILY

FOOD
GIVING
GOD
GREEN
HOLIDAY
JOSEPH
LIGHTS
MANGER
NATIVITY
PRESENTS

REINDEER
RUDOLPH
SANTA
SHOPPING
SLEIGH
SNOW
STAR
TOYS
WISE MEN
WREATHS

Fire Stations

D	G	L	N	P	C	L	J	D	Z	H	C	W	Q
Y	N	R	N	T	B	A	K	K	S	P	O	L	E
N	I	A	R	T	W	D	A	C	M	D	D	H	P
B	P	E	M	S	K	D	H	O	U	S	E	G	O
E	E	G	H	M	E	E	O	C	Z	R	N	B	R
F	E	I	H	C	O	R	Y	A	O	N	T	P	E
C	L	O	P	I	H	C	V	R	E	E	A	U	N
M	S	B	Y	T	N	A	R	D	Y	H	N	M	G
E	Y	T	A	T	F	I	H	S	J	C	K	P	I
E	V	B	O	S	D	E	P	L	A	T	O	O	N
R	A	D	I	O	E	S	T	H	G	I	L	A	E
X	H	K	N	U	B	L	M	A	S	K	N	Y	T

BASE
BATHROOM
BEDS
BOOTS
BUNK
CARDS
CHIEF
COAT
CODE
COMMAND

ENGINE
GEAR
HOSE
HOUSE
HYDRANT
JAWS
KITCHEN
LADDER
LIGHTS
MASK

PLATOON
POLE
PUMP
RADIO
ROPE
SHIFT
SLEEPING
TANK
TRAIN
TRUCK

Flavors

U	K	F	B	S	R	W	U	L	Y	Z	K	A	C
B	X	L	U	E	C	B	I	R	F	K	E	A	T
L	T	G	T	I	V	I	R	N	R	R	N	S	J
S	A	T	L	O	S	E	N	S	E	A	U	P	V
R	I	R	I	C	H	R	R	E	N	T	T	I	F
B	A	S	U	C	I	N	N	A	M	O	N	C	T
G	M	O	U	T	H	H	B	E	G	E	I	E	B
T	A	S	T	E	A	D	G	P	G	E	M	V	L
G	E	T	A	N	G	N	R	A	L	M	O	N	D
T	N	E	C	S	A	A	R	E	P	P	E	P	O
D	B	E	W	R	H	L	P	S	B	M	P	O	O
E	R	U	O	S	E	B	P	T	F	D	D	G	F

ALMOND
BANANA
BEVERAGE
BITTER
BLAND
CHERRY
CINNAMON
EAT
ENHANCE
FOOD

FRUIT
GARLIC
HOT
MINT
MOUTH
NATURAL
ORANGE
PEPPER
RICH
SCENT

SENSE
SHARP
SOUR
SPICE
SUGAR
SWEET
TANG
TASTE
VINEGAR
WINE

Ancient Egyptians

S	L	A	V	E	S	B	M	O	T	R	A	D	E
O	B	E	L	I	S	K	S	B	W	O	R	K	C
D	A	Z	I	G	N	M	U	K	S	A	M	T	S
E	L	E	S	T	O	I	R	A	H	C	S	E	S
S	T	O	S	D	L	E	Q	H	O	T	N	M	E
E	I	R	G	D	S	D	I	M	A	R	Y	P	B
R	S	N	E	I	E	S	W	T	R	C	Q	L	I
T	I	R	B	A	T	R	U	T	A	E	H	E	R
K	S	U	S	O	S	E	B	O	H	F	F	S	C
B	N	P	R	T	S	U	P	A	P	Y	R	U	S
A	U	Y	R	U	A	F	R	I	C	A	M	E	L
M	L	A	B	M	E	C	N	E	I	A	F	Q	F

AFRICA
ANUBIS
ASP
BUILDERS
CAMEL
CATS
CHARIOTS
DESERT
EMBALM
FAIENCE

GIZA
GOLD
HEAT
HISTORY
ISIS
KINGDOMS
MASK
OBELISKS
PAPYRUS
PHARAOHS

PYRAMIDS
RED SEA
SCRIBES
SLAVES
STATUES
TEMPLES
TOMBS
TRADE
TREASURE
WORK

Fish Tanks

T	H	G	I	L	I	J	R	S	X	G	I	L	H
N	O	D	F	N	E	G	O	R	T	I	N	K	A
A	B	S	A	E	R	A	T	I	O	N	C	G	L
L	B	Y	W	Q	S	B	R	E	E	D	I	N	G
P	Y	S	D	I	U	R	L	X	F	U	T	I	A
O	F	T	N	E	M	A	N	R	O	S	O	N	E
N	I	E	Y	A	C	C	R	P	O	T	X	W	R
D	L	M	P	I	A	K	M	I	D	R	E	A	A
K	T	S	P	H	S	I	F	W	U	Y	X	P	C
N	E	O	U	E	R	S	A	L	T	M	U	S	C
A	R	Y	G	H	T	H	B	U	B	B	L	E	M
T	E	N	S	K	C	O	R	S	I	Z	E	P	O

AERATION
ALGAE
AQUARIUM
BRACKISH
BREEDING
BUBBLE
CARE
EXOTIC
FILTER
FISH
FOOD
GUPPY
HOBBY
INDUSTRY
LIGHT
NET
NITROGEN
ORNAMENT
PET
PLANT
POND
ROCKS
SALT
SHRIMP
SIZE
SPAWNING
SWIM
SYSTEMS
TANK
TROPICAL

At the Ranch

R	S	N	G	B	C	F	O	O	D	Z	D	M	W
J	O	G	D	G	O	W	A	G	O	N	S	P	I
Y	E	O	R	T	W	O	P	O	F	H	T	U	L
L	R	A	T	D	B	D	T	A	H	I	E	D	S
A	I	T	N	S	O	R	R	S	S	S	S	N	A
N	Q	S	N	S	Y	M	E	T	N	T	N	U	D
D	Y	Y	X	U	I	D	A	E	F	O	U	O	D
S	W	L	X	N	O	C	K	E	D	R	S	R	L
L	R	I	G	W	O	C	P	R	A	I	R	I	E
A	V	M	G	N	I	T	N	U	H	C	N	V	V
E	M	A	S	H	E	E	P	U	L	O	D	G	E
M	X	F	C	I	T	S	U	R	E	D	U	D	Y

BOOTS
BREEDING
CATS
CHICKENS
COUNTRY
COWBOY
COWGIRL
DUDE
FAMILY
FARMING
FOOD
GOATS
GRAIN
HAT
HISTORIC
HUNTING
JEANS
LAND
LODGE
MEALS
PASTURE
PRAIRIE
ROOTS
ROUNDUP
RUSTIC
SADDLE
SHEEP
STEER
SUNSETS
WAGONS

Homework

M	A	T	H	S	P	E	L	L	E	T	I	R	W
G	R	E	A	D	A	R	B	E	G	L	A	A	R
Z	N	G	E	O	M	E	T	R	Y	P	O	C	P
W	E	I	V	E	R	T	S	P	A	N	I	S	H
E	G	D	R	N	S	U	B	A	L	L	Y	S	K
V	A	E	P	O	L	P	H	Y	S	I	C	S	A
L	U	A	A	U	B	M	F	O	R	G	O	T	P
O	G	D	C	B	I	O	L	O	G	Y	B	L	A
S	N	L	K	T	T	C	E	J	O	R	P	U	P
U	A	I	E	S	S	A	Y	E	V	R	U	S	E
C	L	N	T	U	T	O	R	A	N	S	W	E	R
E	P	E	N	C	I	L	L	H	C	N	E	R	F

ALGEBRA
ANSWER
BIOLOGY
BORING
CALCULUS
COMPUTER
COPY
DEADLINE
ESSAY
FORGOT

FRENCH
GEOMETRY
LANGUAGE
LOST
MATH
PACKET
PAPER
PENCIL
PHYSICS
PROJECT

READ
RESULTS
REVIEW
SOLVE
SPANISH
SPELL
SURVEY
SYLLABUS
TUTOR
WRITE

Exploring

T	O	U	R	E	V	A	R	B	N	N	T	Z	R
S	E	X	P	L	O	R	E	U	A	Q	R	E	E
E	O	P	I	Y	Z	I	C	L	E	E	A	T	I
U	R	U	L	F	U	N	L	L	C	L	V	R	C
Q	A	R	G	T	P	E	E	W	O	G	E	O	A
M	T	P	R	R	G	V	V	H	W	N	L	C	L
C	I	O	I	A	S	U	O	I	T	U	A	C	G
L	O	S	M	C	E	O	H	P	M	J	E	E	P
A	N	E	S	K	P	S	S	B	A	L	B	O	A
R	S	F	A	I	E	R	U	S	A	E	L	P	D
K	L	R	R	N	O	S	R	O	O	D	T	U	O
Y	D	T	E	G	G	N	I	T	U	O	W	R	Q

BALBOA
BRAVE
BULLWHIP
CAUTIOUS
CLARK
COLUMBUS
CORTEZ
DRAKE
EXPLORE
FLY
FUN
GLACIER
JEEP
JUNGLE
MAGELLAN
MISSION
OCEAN
OUTDOORS
OUTING
PILGRIMS
PLEASURE
PURPOSE
QUEST
RATIONS
SHOVEL
SOUVENIR
TOUR
TRACKING
TRAVEL
TRIP

Windows

H	I	D	X	J	L	R	R	F	W	L	L	I	S
U	T	N	U	S	F	R	A	M	E	S	U	O	H
U	J	D	L	K	O	D	T	W	Y	N	N	B	U
B	H	L	D	Z	S	L	N	H	N	E	U	C	T
P	A	N	E	Z	E	H	A	I	E	I	A	M	V
W	I	G	T	L	P	J	E	R	L	R	N	Q	I
O	R	N	N	E	A	G	C	D	O	B	M	G	N
V	Z	I	I	I	R	S	I	M	H	M	R	A	Y
S	F	H	T	R	D	N	L	A	T	E	M	Q	L
R	E	S	Y	O	G	I	U	C	R	A	C	K	O
S	H	A	D	E	S	O	L	C	O	P	E	N	C
E	Q	W	L	S	W	D	I	S	P	L	A	Y	K

AIR
AWNING
BLIND
BUILDING
CAR
CLOSE
CRACK
DISPLAY
DRAPES
FRAME
HOUSE
LOCK
METAL
OPEN
ORIEL
PANE
PORTHOLE
SCREEN
SEAL
SHADES
SHUT
SILL
SLIDING
SOLAR
SUN
THERMAL
TINTED
VINYL
WALL
WASHING

Quilts

K	J	L	D	I	X	Y	B	D	R	B	F	R	Z
C	D	Z	W	C	R	A	F	T	Y	Z	U	U	U
O	N	H	E	N	B	T	H	M	H	T	O	L	C
L	G	A	D	Y	Z	M	E	M	O	R	Y	E	C
B	I	N	D	I	N	G	O	S	K	S	E	R	B
L	S	D	I	D	B	O	R	D	E	R	A	A	E
A	E	M	N	F	L	A	I	C	E	P	S	I	D
N	D	A	G	R	F	A	B	R	I	C	A	S	C
K	I	D	I	H	E	U	Q	I	T	N	A	H	G
E	L	E	P	T	E	X	T	I	L	E	S	E	S
T	H	I	R	I	M	E	A	S	U	R	E	E	C
H	T	A	S	L	N	E	V	O	W	C	U	T	C

ANTIQUE
ART
BABY
BED
BINDING
BLANKET
BLOCK
BORDER
CLOTH
CLUB

CRAFT
CUT
DESIGN
FABRIC
HANDMADE
HEIRLOOM
MEASURE
MEMORY
MOSAIC
PIN

RULER
SHAPES
SHEET
SILK
SPECIAL
STUFFING
TEXTILES
THREAD
WEDDING
WOVEN

Volcanoes

Q	F	D	N	A	L	S	I	G	M	A	E	T	S
U	F	Y	F	I	D	I	L	O	S	E	M	O	D
Y	L	L	R	A	A	Y	L	B	Q	F	V	O	H
F	U	D	E	L	O	T	U	F	L	E	V	Z	T
Y	I	A	T	C	E	R	N	A	S	E	I	E	F
T	D	E	A	N	N	I	M	U	S	C	S	R	G
L	A	D	R	K	I	E	V	L	O	I	C	U	Q
E	M	E	C	Y	S	I	I	E	P	M	O	P	F
M	G	G	H	F	U	Q	A	C	B	U	U	T	G
Q	A	L	L	S	U	D	U	W	S	P	S	O	H
G	M	O	V	I	N	G	D	R	A	Z	A	H	T
N	W	W	D	O	R	A	N	G	E	H	R	E	V

BURN
CRATER
DEADLY
DOMES
ERUPT
FIERY
FLAMES
FLOW
FLUID
GLOW

HAWAII
HAZARD
HEAT
HOT
ISLAND
LIQUID
MAGMA
MELT
MOLTEN
MOUNTAIN

MOVING
OOZE
ORANGE
POMPEII
PUMICE
SCIENCE
SOLIDIFY
STEAM
VESUVIUS
VISCOUS

Roller Skating

C	I	S	U	M	O	B	M	I	L	L	A	F	O
O	P	P	A	R	T	Y	D	K	C	A	R	T	W
L	I	G	H	T	S	U	S	E	K	A	R	B	E
C	O	U	P	L	E	S	I	C	R	E	X	E	N
C	B	C	R	O	O	D	T	U	O	B	G	R	I
D	P	A	K	S	L	E	E	H	W	L	Y	I	L
A	A	N	L	E	R	O	T	A	T	I	O	N	N
T	D	N	H	A	R	D	W	O	O	D	J	K	I
E	S	K	C	A	N	S	R	O	O	D	N	I	F
S	L	A	C	E	S	C	Q	A	F	F	L	W	G
G	P	F	L	O	O	R	E	P	P	O	T	S	Z
B	K	I	D	S	E	T	A	K	S	E	O	T	K

BALANCE
BRAKES
COUPLES
DANCE
DATES
DERBY
EXERCISE
FALL
FLOOR
FOOTWORK
HARDWOOD
INDOOR
INLINE
KIDS
LACES
LIGHTS
LIMBO
LOCKERS
MUSIC
OUTDOOR
PADS
PARTY
RINK
ROTATION
SKATES
SNACKS
STOPPER
TOES
TRACK
WHEELS

Stadiums

B	G	T	F	P	Y	E	L	L	O	E	V	A	W
J	O	R	N	A	C	H	O	S	X	D	U	Q	M
I	P	O	G	L	P	A	F	O	O	D	Z	R	A
C	O	P	S	C	V	A	M	A	I	S	L	E	S
R	P	P	N	U	M	B	R	E	L	L	A	E	C
O	C	U	S	H	I	O	N	E	R	D	R	H	O
W	O	S	A	Y	T	C	D	D	N	A	U	C	T
D	R	S	D	N	E	I	R	F	I	T	S	F	W
N	N	N	O	R	R	X	A	L	O	C	S	A	B
A	C	G	S	P	I	T	I	R	I	P	S	N	Y
T	S	I	C	H	A	N	T	S	R	E	H	S	U
S	V	S	T	N	G	W	K	R	E	E	B	D	C

AISLES
AUDIENCE
BEER
BOOS
CAMERAS
CHANTS
CHEER
CLAP
COLA
CROWD
CUSHION
DRINK
FANS
FOOD
FRIENDS
MASCOT
NACHOS
PARENTS
POPCORN
PRIDE
RAILING
SIGNS
SODA
SPIRIT
STAND
SUPPORT
UMBRELLA
USHERS
WAVE
YELL

Communications

X	L	T	R	O	H	S	F	N	R	U	T	E	R
R	O	P	A	D	D	R	E	S	S	M	E	M	O
U	I	B	T	X	E	T	E	C	D	E	P	Y	T
R	D	W	N	T	T	D	O	M	R	A	H	J	S
V	A	Q	T	I	D	E	A	S	I	E	G	D	E
E	R	E	R	G	I	N	S	T	A	N	T	I	U
R	L	W	B	U	L	L	E	T	I	N	D	R	Q
B	L	W	Y	A	Y	E	L	T	S	I	P	E	E
A	L	B	O	T	T	L	E	M	A	I	L	C	R
L	A	N	O	S	R	E	P	A	P	E	R	T	I
P	C	L	U	F	R	A	E	N	O	H	P	R	W
B	S	T	H	G	U	O	H	T	Y	L	P	E	R

ADDRESS
BOTTLE
BULLETIN
CALL
DIRECT
EARFUL
EMAIL
EPISTLE
GREETING
IDEAS

INBOX
INSTANT
LETTER
MEMO
PAPER
PERSONAL
PHONE
RADIO
REMINDER
REPLY

REQUEST
RETURN
SECRET
SHORT
TEXT
THOUGHTS
TYPED
VERBAL
WIRE
WRITTEN

Boats

J	J	K	E	T	C	H	S	T	E	A	M	E	R
U	E	S	R	R	R	L	K	R	S	S	T	H	E
N	T	A	O	B	E	F	I	L	E	R	P	P	L
K	B	I	W	C	T	N	B	P	I	L	A	K	W
W	O	L	B	A	T	G	O	M	P	D	I	P	A
A	A	B	O	N	U	C	A	O	D	E	O	O	R
R	T	O	A	O	C	R	T	L	H	O	R	N	T
S	Y	A	T	E	A	U	E	E	L	C	R	T	A
H	G	T	B	N	X	I	X	S	G	E	S	O	N
I	N	R	C	R	U	S	I	E	R	R	O	O	K
P	I	R	O	G	U	E	S	A	M	P	A	N	E
G	D	H	O	W	F	R	I	G	A	T	E	B	R

BARGE	GALLEON	SAILBOAT
BRIG	JET BOAT	SAMPAN
CANOE	JUNK	SCHOONER
CLIPPER	KETCH	SKI BOAT
CRUISER	LIFEBOAT	SLOOP
CRUSIER	OILER	STEAMER
CUTTER	PADDLE	TANKER
DHOW	PIROGUE	TRAWLER
DINGY	PONTOON	TRIMARAN
FRIGATE	ROWBOAT	WARSHIP

Candymaker

L	S	D	Y	M	M	U	G	W	K	P	Y	S	E
G	J	W	R	G	I	T	M	O	L	D	C	O	T
K	I	Z	E	A	X	F	O	S	I	X	L	U	S
T	P	Y	W	E	H	C	C	P	R	I	V	R	A
N	Y	S	S	M	T	O	H	H	O	A	D	S	T
I	C	E	R	D	N	E	L	B	N	E	B	R	A
H	W	N	O	M	A	N	N	I	C	G	E	E	F
N	P	A	V	T	E	U	L	O	D	A	K	K	F
H	X	C	A	E	T	L	R	X	T	A	Y	C	Y
K	W	K	L	S	A	A	T	S	B	Y	Y	U	R
Z	A	S	F	B	T	E	M	R	U	O	G	S	R
F	U	D	G	E	C	I	R	O	C	I	L	T	G

BAKE
BARS
BLEND
BOIL
CANES
CHEWY
CINNAMON
COOK
DECORATE
DIP

FLAVORS
FUDGE
GOURMET
GUMMY
HARD
HEAT
HOLIDAYS
LICORICE
MELT
MIX

MOLD
NUTS
POT
SOURS
SUCKERS
SWEET
TAFFY
TASTE
TREATS
VANILLA

Bowling

M	S	F	L	W	S	S	H	O	T	Q	R	G	Q
E	S	C	U	D	O	U	B	L	E	R	G	D	T
O	S	J	O	V	S	O	K	S	K	O	L	F	F
N	R	K	F	R	A	L	C	H	C	L	O	M	U
D	E	G	A	R	E	V	A	S	O	L	V	L	L
K	L	E	D	E	E	N	R	T	P	Q	E	A	I
Z	W	S	P	C	D	G	R	G	N	A	N	T	A
W	O	F	H	I	W	A	N	U	G	E	N	I	R
G	B	R	C	S	N	G	C	U	T	I	R	L	F
U	A	A	G	U	T	T	E	R	O	E	H	P	Q
J	P	M	G	M	A	E	T	P	A	L	R	S	Y
N	O	E	E	N	D	M	W	R	S	A	Q	Z	C

ARCADE
AVERAGE
BAG
BOARDS
BOWLERS
DOUBLE
FOUL
FRAME
GAME
GLOVE
GUTTER
HANDICAP
LANE
LEAGUE
LOFT
LOUNGE
MUSIC
PIN
POCKET
POINT
RACK
RAIL
RENTALS
RETURN
ROLL
SCORE
SHOT
SPAN
SPLIT
TEAM

Scary Spiders

V	C	R	E	E	P	Y	S	D	E	H	S	J	S
W	P	O	J	R	L	A	C	I	P	O	R	T	G
V	W	O	R	R	U	B	O	N	L	K	T	V	N
E	Q	D	I	U	O	T	S	H	U	K	H	O	A
N	G	W	E	S	N	J	P	C	W	R	G	N	F
O	E	R	E	S	O	C	R	A	W	L	I	N	G
M	Y	S	A	B	E	N	F	R	C	M	E	A	I
D	E	R	W	L	H	R	C	A	A	M	G	Z	H
N	S	J	A	A	I	F	T	L	O	G	G	B	T
E	H	A	L	C	L	R	E	D	I	P	S	K	Q
S	J	B	A	K	S	C	B	A	P	M	U	J	A
F	U	Z	Z	Y	H	A	W	H	R	Z	B	I	G

ABDOMEN
AFRICA
ANIMAL
ARACHNID
BIG
BLACK
BURROW
CAPTURE
CLAWS
CLIMB

CRAWLING
CREEPY
DESERT
EGGS
EIGHT
EYES
FANGS
FEAR
FUZZY
HAIR

JUMP
LARGE
POISON
SCARY
SHED
SILK
SPIDER
TROPICAL
VENOM
WEB

Sleeping Beauty

L	O	V	E	L	B	A	F	C	O	N	F	O	A
K	K	F	R	E	N	C	H	A	E	E	L	C	R
I	D	E	T	A	M	I	N	A	N	E	O	V	O
S	F	O	L	K	L	O	R	E	F	T	R	C	R
S	P	I	N	D	L	E	Y	M	T	X	A	A	U
C	C	A	R	T	O	O	N	A	J	I	W	S	A
S	L	E	E	P	I	N	G	G	S	S	A	T	Y
H	N	A	Q	U	E	E	N	I	K	L	K	L	L
X	C	T	S	E	R	O	F	C	O	I	E	E	L
K	K	T	E	S	R	O	H	A	O	V	N	E	E
O	F	A	I	R	I	E	S	L	B	E	Q	G	P
S	V	O	V	W	V	C	T	E	L	L	A	B	S

ANIMATED
ASLEEP
AURORA
AWAKEN
BALLET
BOOKS
CARTOON
CASTLE
CHILDREN
CLASSIC

COTTAGE
EVIL
FABLE
FAIRIES
FANTASY
FLORA
FOLKLORE
FOREST
FRENCH
HORSE

KING
KISS
LOVE
MAGICAL
QUEEN
SIXTEEN
SLEEPING
SPELL
SPINDLE
WITCH

Tornadoes

V	O	R	T	E	X	R	L	R	T	R	A	I	N
A	P	I	N	W	D	U	E	O	T	O	T	C	O
H	L	A	E	A	F	T	R	T	E	Y	E	L	W
O	U	L	M	R	S	W	U	A	L	D	R	O	I
U	E	A	E	A	P	I	S	T	R	E	E	U	N
S	G	W	S	Y	I	S	S	I	I	B	H	D	D
E	O	I	A	Z	N	T	E	O	W	R	T	S	S
P	D	N	B	A	N	E	R	N	S	I	A	A	K
J	W	I	L	L	I	R	P	T	Z	S	E	S	G
L	S	I	R	E	N	O	L	C	Y	C	W	N	L
P	A	T	H	R	G	N	I	N	R	A	W	A	O
H	D	E	A	T	H	S	P	E	E	D	S	K	F

AIR
ALERT
ALLEY
BASEMENT
CLOUDS
CYCLONE
DAMAGE
DEATH
DEBRIS
DISASTER
EYE
HAIL
HOUSE
KANSAS
PATH
POWERFUL
PRESSURE
ROTATION
SHELTER
SIREN
SPEED
SPINNING
SWIRL
TOTO
TRAIN
TWISTER
VORTEX
WARNING
WEATHER
WINDS

Logo Design

T	C	E	K	I	N	O	C	I	W	O	R	D	W
N	O	C	N	A	G	O	L	S	E	P	A	H	S
I	L	R	P	C	S	P	O	R	T	S	N	Z	I
R	O	B	I	Z	A	L	A	B	O	L	G	E	M
P	R	E	U	G	H	C	G	T	M	M	I	P	P
W	S	Y	E	S	I	N	Y	K	O	O	S	Y	L
M	O	N	O	H	I	N	T	E	R	N	E	T	E
H	C	O	P	N	A	N	A	R	P	O	G	O	B
Y	W	A	A	P	O	N	E	L	A	G	A	G	R
S	R	E	M	F	L	A	E	S	G	R	M	O	A
G	M	O	L	E	T	T	E	R	S	A	I	L	N
K	C	V	I	S	U	A	L	O	B	M	Y	S	D

AGENCY
ART
BRAND
BUSINESS
COLORS
COMPANY
FONT
GLOBAL
GRAPHIC
ICON

IMAGE
INTERNET
LETTERS
LOGOTYPE
MEANING
MONOGRAM
NIKE
ORIGINAL
PRINT
PROMOTE

SEAL
SHAPES
SIGN
SIMPLE
SLOGAN
SPORTS
SWOOSH
SYMBOL
VISUAL
WORD

Cave Exploring

M	G	F	L	A	C	I	S	Y	H	P	F	U	N
U	R	O	C	K	S	T	A	J	A	D	L	O	C
D	L	I	W	H	E	S	I	C	R	E	X	E	S
X	R	Y	T	W	Z	E	F	R	D	S	E	M	T
Z	L	R	S	R	E	H	L	A	H	C	N	I	A
S	A	E	D	P	E	C	O	W	A	E	I	T	B
E	M	P	I	H	U	T	O	L	T	N	M	S	O
P	P	P	G	E	Q	I	D	I	S	T	E	A	O
O	S	I	G	L	S	P	I	N	K	C	A	P	T
R	C	L	I	M	B	I	N	G	L	O	V	E	S
Q	N	S	N	E	B	E	G	A	S	S	A	P	Y
I	Y	O	G	T	R	O	P	S	W	A	T	E	R

BATS
BOOTS
CLIMBING
COLD
CRAWLING
DESCENT
DIGGING
EARTH
EXERCISE
FLOODING

FUN
GLOVES
HARDHATS
HELMET
LAMPS
MINE
MUD
PACK
PASSAGE
PASTIME

PHYSICAL
PITCHES
ROCKS
ROPES
SLIPPERY
SPORT
SQUEEZES
WATER
WET
WILD

Astrology

I	H	N	W	V	C	I	D	U	I	H	R	V	S
U	E	T	O	R	B	I	T	B	T	O	O	W	R
M	M	F	R	O	V	T	V	R	G	N	M	S	A
Q	E	O	U	I	M	L	A	R	T	S	A	E	T
P	A	R	N	T	B	E	I	D	C	F	N	I	S
O	T	E	C	T	U	V	E	O	I	U	C	R	E
O	R	C	Q	U	H	R	R	R	T	A	E	A	E
Y	X	A	I	U	R	P	E	P	N	L	S	A	R
R	F	S	H	D	I	Y	E	C	L	I	U	Q	I
J	U	T	C	O	E	N	E	E	G	G	O	P	A
N	A	W	A	T	E	R	O	N	M	N	H	M	T
P	I	S	E	C	S	I	P	X	U	V	O	U	R

AIR
ALIGN
ARIES
ASTRAL
BIRTH
CANCER
DIVINER
EARTH
EQUINOX
FIRE
FORECAST
FUTURE
HOUSE
LEO
MERCURY
MONTH
MOON
NEPTUNE
ORBIT
PATH
PISCES
PREDICT
ROMANCE
SCORPIO
SEER
SIGN
STARS
SUN
VIRGO
WATER

The Eyes Have It

S	H	W	K	O	O	L	A	U	S	I	V	T	C
D	A	H	B	L	U	E	Y	I	H	F	M	S	T
O	N	B	L	I	N	D	G	U	W	H	I	T	E
R	R	U	C	R	Y	H	M	W	E	I	V	S	O
H	I	C	O	N	T	A	C	T	R	C	N	W	F
F	A	C	E	R	N	E	O	A	U	E	J	K	Z
Y	P	Y	F	A	S	B	L	K	S	Q	D	L	L
T	S	E	T	O	R	U	O	H	S	A	S	I	D
X	T	O	H	I	C	P	R	W	E	I	P	D	G
Y	M	S	G	O	U	U	S	H	R	U	H	S	D
Y	W	H	I	N	S	C	S	I	P	L	H	E	F
N	T	N	L	M	B	R	A	I	N	R	U	R	S

ACUITY
ANATOMY
BLIND
BLUE
BRAIN
BRIGHT
COLORS
CONTACT
CORNEA
CRY
FACE
FOCUS
HEAD
HUMAN
IRIS
LIDS
LIGHT
LOOK
OCULAR
PAIR
PRESSURE
PUPIL
RODS
ROUND
SENSE
SIGHT
TEST
VIEW
VISUAL
WHITE

Basements

T	O	O	L	S	R	U	M	P	U	S	N	I	B
Y	L	Z	E	K	E	C	E	M	E	N	T	B	Z
T	A	X	T	N	I	A	P	V	Y	M	G	D	A
A	O	B	R	U	O	R	L	J	C	O	U	C	H
B	R	R	E	J	R	E	Z	E	E	R	F	L	O
L	E	I	M	A	H	T	G	R	D	T	I	I	S
E	L	C	M	S	R	A	N	N	Y	A	V	G	E
X	I	K	A	E	N	E	I	R	U	R	Z	H	S
K	O	S	H	N	D	H	T	O	E	D	Z	T	L
S	B	S	D	E	R	N	O	O	V	Y	L	Y	I
G	A	M	E	S	A	U	O	M	N	B	R	L	A
W	S	P	D	P	N	Z	F	S	P	M	A	D	N

BINS
BOILER
BOXES
BRICKS
CEMENT
COUCH
DAMP
DEEP
DRYER
DUNGEON

FOOTING
FREEZER
FURNACE
GAMES
HAMMER
HEATER
HOSES
JUNK
LIGHT
MORTAR

NAILS
PAINT
PANTRY
ROOM
RUMPUS
SEALED
SHELVES
TABLE
TOOLS
WASHER

Recipe Book

K	T	S	L	I	C	E	P	Q	N	X	A	A	P
A	A	W	I	I	J	T	I	A	O	F	E	N	S
O	V	E	N	M	C	A	K	E	S	L	O	P	I
L	M	D	R	S	M	I	X	Y	I	T	I	O	P
E	E	X	E	G	C	E	F	O	N	C	A	E	D
X	A	P	N	G	O	U	R	M	E	T	P	Y	D
L	L	O	N	E	R	B	V	S	V	P	S	Y	N
H	C	H	I	C	K	E	N	O	E	N	B	P	E
Y	E	C	D	E	S	S	E	R	T	B	R	O	L
Y	R	A	S	S	O	L	G	S	D	A	E	R	B
S	A	L	T	K	P	B	C	O	O	K	H	K	L
W	V	R	K	B	C	N	Z	C	H	E	F	N	U

BAKE	DESSERT	MIX
BLEND	DINNER	OVEN
BREADS	EGGS	PASTA
BROIL	FOOD	PEPPER
CAKES	GLOSSARY	PORK
CHEF	GOURMET	SALT
CHICKEN	HEAT	SIMMER
CHOP	HERBS	SLICE
COOK	INDEX	SPICES
DEGREES	MEAL	VENISON

Going Places

Z	P	S	A	L	O	O	P	L	A	Y	B	D	D
V	O	H	S	M	N	R	F	W	X	A	E	R	F
Y	M	O	V	I	E	E	L	L	R	D	A	I	A
R	S	P	G	N	S	A	R	B	E	H	C	V	R
A	G	W	N	T	K	T	E	D	N	T	H	I	M
R	D	I	I	E	Z	C	V	O	L	R	U	N	U
B	D	V	T	M	U	S	I	B	L	I	N	G	S
I	A	A	A	E	M	N	L	W	G	B	H	K	E
L	K	L	O	U	U	I	P	I	C	N	I	C	U
S	L	C	B	E	D	G	N	L	A	I	K	G	M
T	O	U	R	S	E	M	A	G	N	R	E	M	O
K	L	A	W	B	Q	P	M	G	J	Y	T	I	C

BARBECUE
BEACH
BIRTHDAY
BOATING
CHILDREN
CITY
DINNER
DRIVING
FARM
FESTIVAL

GAMES
HIKE
LAKE
LIBRARY
MALL
MOVIE
MUSEUM
PICNIC
PLAY
POOL

REUNION
SHOP
SIBLINGS
SKATE
SKIING
SWIMMING
TOUR
TRAIL
WALK
ZOO

Bankers

S	T	S	U	R	T	L	U	A	F	E	D	G	X
M	O	R	T	G	A	G	E	Q	U	I	T	Y	H
T	B	E	D	D	A	B	N	V	A	U	L	T	V
A	D	N	A	C	O	C	O	V	E	N	A	N	T
P	R	O	C	I	T	I	C	R	M	R	E	T	F
S	A	K	C	T	I	T	T	M	R	E	A	A	B
A	F	N	O	I	S	Y	B	A	V	O	R	G	J
V	T	A	U	Z	O	W	O	G	R	M	W	R	E
I	S	B	N	E	P	I	N	T	E	R	N	E	T
N	P	E	T	N	E	D	D	R	E	L	L	E	T
G	I	Y	E	S	D	E	S	R	U	O	C	E	R
S	D	N	U	F	D	I	C	K	S	I	R	A	H

ACCOUNT	DEFAULT	LEVERAGE
ATM	DEPOSIT	MORTGAGE
BAD DEBT	DRAFTS	RATIO
BANK ONE	EQUITY	RECOURSE
BONDS	FARMERS	RISK
BORROW	FDIC	SAVINGS
CITICORP	FEES	TELLER
CITIZENS	FUNDS	TERM
CITYWIDE	INTERNET	TRUSTS
COVENANT	IRA	VAULT

Bears

Y	L	N	O	M	N	I	V	O	R	E	V	A	C
O	G	E	E	G	O	G	N	I	T	N	U	H	K
C	H	I	E	D	I	U	R	N	A	L	C	O	O
S	F	T	B	R	O	W	N	I	D	J	D	R	A
S	U	N	O	L	T	M	I	T	Z	I	G	S	A
G	R	O	W	L	A	M	I	N	A	Z	E	C	M
P	X	V	Z	M	S	U	P	K	P	I	L	N	D
A	I	S	M	O	K	E	Y	A	C	A	N	Y	B
K	C	A	L	B	O	H	B	E	W	O	N	L	R
I	L	U	U	H	O	O	P	S	N	S	G	D	W
L	Q	C	Y	F	I	S	H	Q	K	O	S	K	A
T	J	T	C	M	E	A	T	E	E	T	H	H	J

ANIMAL
BIG
BLACK
BROWN
CAVE
CLAWS
CUB
DEN
DIURNAL
FISH

FUR
GRIZZLY
GROWL
HONEY
HUNTING
KODIAK
MAMMAL
MEAT
MOUNTAIN
OMNIVORE

PANDA
PAWS
POOH
SLOTH
SMOKEY
SPECIES
SUN
TEETH
TREE
ZOO

Ovens

T	T	I	M	E	R	F	W	S	E	A	R	O	B
C	E	Q	Z	K	O	O	C	P	E	D	K	U	S
L	H	K	B	G	E	K	A	B	K	I	R	T	A
L	B	A	A	I	H	N	K	S	L	N	P	W	V
Z	R	S	M	C	H	C	O	N	T	R	O	L	H
E	E	X	T	B	E	L	E	M	E	N	T	B	B
U	A	U	E	L	E	C	T	R	I	C	A	X	S
W	D	I	N	N	E	R	A	D	A	L	Z	B	U
R	O	R	M	U	F	F	I	N	S	M	Z	M	P
G	O	V	T	O	A	S	T	E	R	F	I	R	E
J	R	D	O	O	W	O	A	Q	B	U	P	C	J
E	O	D	J	X	H	D	C	Y	Z	Z	F	J	X

BAKE
BREAD
BURN
CAKE
CERAMIC
CHAMBER
CONTROL
COOK
DINNER
DOOR

DUTCH
ELECTRIC
ELEMENT
FIRE
FOOD
FURNACE
GAS
HOT
KILN
KNOBS

MITT
MUFFINS
PAN
PIES
PIZZA
ROAST
SEAR
TIMER
TOASTER
WOOD

Calendars

N	P	O	C	K	E	T	S	C	H	O	O	L	M
L	U	N	A	R	M	N	A	I	T	P	Y	G	E
S	R	H	O	L	O	C	E	N	E	Y	S	T	E
T	S	U	G	U	A	P	R	I	L	L	E	R	T
N	B	Y	N	D	F	E	B	R	U	A	R	Y	I
E	U	J	E	O	B	J	N	M	J	T	U	F	N
V	S	M	U	M	V	A	H	U	A	I	T	I	G
E	I	H	E	L	L	E	N	I	C	G	C	S	S
C	N	C	P	P	Y	E	M	E	N	I	I	C	O
K	E	D	D	E	K	O	O	B	I	D	P	A	L
D	S	M	A	O	C	T	O	B	E	R	U	L	A
U	S	R	V	Y	L	A	N	O	S	R	E	P	R

ACADEMIC
APRIL
AUGUST
BOOKED
BUSINESS
DAY
DECEMBER
DIGITAL
EGYPTIAN
EVENTS
FEBRUARY
FISCAL
HELLENIC
HINDU
HOLOCENE
INCA
JULY
JUNE
LUNAR
MEETINGS
MOON
NOVEMBER
OCTOBER
PERSONAL
PICTURES
PLAN
POCKET
SCHOOL
SOLAR
YEAR

Clowns

M	J	N	Q	Z	I	P	B	Y	C	R	P	K	S
I	N	S	I	Y	U	R	F	E	A	E	X	E	S
M	W	T	N	M	C	O	I	J	R	T	C	G	M
E	T	N	J	R	O	P	E	S	N	H	A	A	A
E	U	U	G	L	S	S	O	Y	I	G	W	I	S
F	U	T	I	U	T	N	D	L	V	U	I	B	K
T	S	S	C	E	U	E	D	A	A	A	G	O	S
R	H	R	R	R	M	R	Z	C	L	L	S	H	Y
I	I	O	I	O	E	S	E	I	T	R	A	P	P
C	X	L	C	N	S	D	U	M	A	K	E	U	P
K	N	O	S	E	S	N	R	O	H	A	I	R	A
S	S	C	A	R	Y	K	L	C	I	G	A	M	H

CARNIVAL
CHILDREN
CIRCUS
COLORS
COMEDY
COMICAL
COSTUMES
FOOLISH
FUNNY
GAGS

HAIR
HAPPY
HORNS
JESTER
LAUGHTER
MAGIC
MAKEUP
MASKS
MIME
NOSES

PARTIES
PERSON
PHOBIA
PIE
PROPS
RED
SCARY
STUNTS
TRICKS
WIGS

Picnics

R	F	E	V	Q	L	B	X	C	H	E	E	S	E
B	U	G	S	E	M	A	G	C	J	Z	E	G	S
E	N	L	N	U	L	N	A	P	K	I	N	S	F
V	A	T	A	E	M	E	B	S	G	I	T	R	O
W	S	G	R	C	B	M	Z	G	R	O	I	O	C
T	Q	O	W	T	E	S	E	P	R	E	I	O	L
W	Q	T	D	T	N	V	S	R	N	S	U	D	Y
D	R	E	X	A	C	A	A	D	E	P	A	T	D
I	O	Q	C	H	H	C	S	T	L	L	I	U	N
T	L	K	I	I	R	D	A	E	A	U	O	O	I
M	L	P	K	D	N	L	P	S	R	F	O	O	D
S	S	A	R	G	P	U	P	F	P	I	R	X	C

ANT
BAG
BEACH
BENCH
BUGS
CARROTS
CHEESE
CHIPS
COOLER
COUPLE
FOOD
FRIENDS
FRUIT
FUN
GAMES
GRASS
ICE
MEAT
NAPKINS
OUTDOORS
PLATES
RELAX
ROLLS
SALAD
SLAW
SNACK
SODA
SPRING
SUMMER
VEGGIES

Robotic

A	E	C	I	V	E	D	T	A	S	K	S	R	V
R	N	Y	R	E	G	R	U	S	W	L	C	O	A
E	I	D	R	E	P	L	E	H	L	A	Y	T	C
K	H	E	R	A	W	D	R	A	H	W	B	O	U
R	C	S	E	O	T	N	E	M	E	V	O	M	U
O	A	I	T	T	I	I	F	U	T	U	R	E	M
W	M	G	U	V	O	D	L	A	T	I	G	I	D
N	O	N	P	C	Y	M	S	I	C	F	S	N	A
A	V	S	M	A	R	T	E	W	M	T	B	I	N
P	I	S	O	F	T	W	A	R	E	V	O	A	C
A	N	H	C	R	A	E	S	E	R	D	J	R	E
J	G	T	O	Y	S	L	I	G	H	T	S	B	Y

ANDROIDS
BRAIN
COMPUTER
CYBORG
DANCE
DESIGN
DEVICE
DIGITAL
FACTORY
FUTURE
HARDWARE
HELPER
JAPAN
JOBS
LIGHTS
MACHINE
MILITARY
MOTOR
MOVEMENT
MOVING
REMOTE
RESEARCH
SMART
SOFTWARE
SURGERY
TASKS
TOYS
VACUUM
WALK
WORKER

Surfing

E	V	R	A	C	C	U	L	T	U	R	E	B	D
B	R	E	A	K	I	N	G	D	T	H	M	A	X
P	I	T	V	C	F	E	E	R	C	S	O	R	H
M	P	A	S	A	L	L	A	T	S	J	S	R	S
U	A	O	N	B	W	R	E	E	G	J	E	E	A
P	M	L	A	T	Q	F	A	N	I	N	W	L	E
L	Y	F	K	U	G	N	I	L	D	D	A	P	L
R	N	A	I	C	J	P	L	L	U	I	O	H	L
U	A	D	N	P	O	B	C	T	R	B	B	O	E
C	E	E	G	R	O	M	M	E	T	A	U	G	W
M	C	N	D	Y	L	R	A	N	G	R	E	T	S
N	O	G	R	A	J	A	T	E	K	C	O	P	F

AERIAL
AWESOME
BARREL
BREAKING
CARVE
CULTURE
CURL
CUTBACK
DROP IN
FADE
FETCH
FLOATER
GNARLY
GROMMET
HANG TEN
JARGON
LEASH
OCEAN
PADDLING
PEARL
POCKET
PUMP
REEF
RIP
SNAKING
STALL
SWELL
TUBULAR
WAVE
WOODIE

Dashboards

W	O	O	D	A	O	R	T	N	E	V	E	Y	M
T	K	Q	N	I	D	E	M	O	R	H	C	M	C
Q	C	W	D	C	E	C	S	I	R	D	S	S	E
M	U	A	O	I	S	O	N	C	L	R	R	L	L
E	R	R	O	T	I	N	O	M	A	E	B	A	C
T	T	N	R	S	G	T	T	Q	T	H	A	N	I
E	T	I	O	A	N	R	T	S	I	T	C	G	H
R	N	N	R	L	X	O	U	S	G	A	V	I	E
Y	O	G	R	P	Q	L	B	P	I	E	U	S	V
K	R	L	I	Z	C	O	U	E	D	L	A	O	V
P	F	C	M	N	N	W	H	E	E	L	A	I	D
L	K	L	I	K	E	B	Q	D	A	S	H	L	R

AIR
BUTTONS
CAB
CHROME
CLUSTER
CONTROL
DASH
DESIGN
DIAL
DIGITAL
ENGINE
FRONT
KNOBS
LEATHER
METER
MILEAGE
MIRROR
MONITOR
OIL
PLASTIC
RADIO
ROAD
SIGNALS
SPEED
TRUCK
VEHICLE
VENT
WARNING
WHEEL
WOOD

Sauces

W	H	I	T	E	F	E	H	C	I	L	R	A	G
O	C	S	A	B	A	T	O	D	G	N	O	K	N
H	N	C	A	R	A	M	E	L	C	X	V	A	B
C	A	H	E	U	C	E	B	R	A	B	A	E	Q
W	R	C	Z	L	H	O	E	U	I	F	L	T	K
S	P	I	C	E	P	I	O	T	T	Y	F	S	Q
Y	Y	R	R	U	C	P	A	K	O	T	A	U	O
N	V	B	N	U	R	L	A	B	I	H	E	K	B
A	S	A	A	L	I	Q	U	I	D	N	Y	R	I
W	P	S	R	A	T	R	A	T	U	I	G	M	O
B	W	O	N	G	U	K	E	T	C	H	U	P	L
U	J	Y	R	G	S	Y	N	D	K	D	O	O	F

APPLE
BARBECUE
BUFFALO
BUTTER
CARAMEL
CHEF
COOKING
CURRY
DUCK
FLAVOR

FOOD
GARLIC
GRAVY
HERBS
HOT
ITALIAN
KETCHUP
LIQUID
PAN
RANCH

RED
RICH
SAUCIER
SOY
SPICE
STEAK
TABASCO
TARTAR
TERIYAKI
WHITE

Photos

B	I	R	T	H	C	B	T	E	L	L	A	W	G
L	M	U	B	L	A	L	F	A	M	I	L	Y	T
U	A	A	Z	M	M	O	Y	S	C	T	A	D	N
R	G	I	E	E	E	W	P	R	K	D	V	E	A
O	E	P	G	M	R	U	O	L	I	A	G	V	T
R	M	E	R	O	A	P	C	L	C	A	P	E	U
O	L	S	A	R	P	N	O	A	T	D	I	L	R
L	I	O	L	I	G	H	T	I	N	G	C	O	E
O	F	P	N	E	F	I	V	I	R	F	T	P	M
C	R	G	E	S	O	E	P	Z	Q	G	U	M	A
J	D	I	D	N	A	C	A	P	T	U	R	E	R
H	L	O	O	H	C	S	H	U	T	T	E	R	F

ALBUM
ANTIQUE
BIRTH
BLOWUP
BLUR
CAMERA
CANDID
CAPTURE
COLOR
COPY
CROPPING
DEVELOP
ENLARGE
FAMILY
FILM
FRAME
HOLIDAY
IMAGE
LIGHTING
MEMORIES
MUG
NATURE
NEGATIVE
PICTURE
POSE
SCHOOL
SEPIA
SHUTTER
VACATION
WALLET

Dating

E	S	M	D	B	E	M	I	T	E	I	U	Q	C
K	I	S	S	T	K	M	J	X	I	E	Q	T	U
S	P	E	E	F	F	O	C	C	V	C	E	A	T
C	P	S	E	R	Q	A	I	G	O	N	G	C	E
G	L	T	Z	C	T	X	M	N	M	A	N	G	P
W	A	O	H	J	N	S	T	I	A	D	A	D	A
E	N	P	S	I	C	A	G	L	L	R	R	N	C
N	T	R	U	T	C	N	M	W	U	I	R	E	S
F	E	M	U	T	U	A	L	O	K	N	A	I	E
Z	E	D	A	E	E	S	C	B	R	K	L	R	U
W	M	L	G	R	H	S	U	C	O	F	G	F	K
O	K	R	H	Y	K	T	A	L	U	N	C	H	A

ARRANGE
BOWLING
COFFEE
CONTACT
COURAGE
CUTE
DANCE
DRINK
EAT
EDGY

ESCAPE
FAMILIAR
FOCUS
FRIEND
JITTERY
KISS
LOST
LUNCH
MEET
MOVIE

MUTUAL
NEW
PLAN
QUIET
ROMANCE
SET UP
SHY
STRESS
TALK
TIME

Rhymes with You

G	W	F	W	E	O	O	Y	W	F	Q	B	G	Z
R	S	N	E	U	D	O	E	C	C	Y	V	M	D
E	K	V	R	D	K	P	B	H	U	I	F	B	U
W	E	H	C	N	S	M	E	M	E	A	O	G	H
D	W	T	S	O	U	A	W	W	A	H	O	O	L
T	K	H	H	F	N	H	E	I	T	B	G	E	T
W	O	G	E	R	E	S	R	X	I	D	M	B	C
O	U	N	Z	W	O	U	T	E	U	L	B	B	R
H	L	S	T	E	W	U	S	R	W	O	W	G	H
P	S	P	H	K	U	N	G	F	U	E	I	D	A
K	O	Q	R	Y	R	L	U	H	L	E	R	S	T
N	Q	T	U	M	T	D	G	B	J	W	L	B	P

ADIEU
BAMBOO
BLEW
BLUE
BREW
CHEW
CONSTRUE
CUE
EWE
FONDUE

GLUE
GOO
GREW
HUGH
KUNG FU
SCREW
SHAMPOO
SHOO
SIOUX
SKEW

SPEW
STEW
STREW
SUE
THROUGH
THRU
TWO
VIEW
WAHOO
WHEW

Pizza Place

N	U	F	Q	R	D	T	Y	N	P	S	B	G	T
X	E	Z	B	E	P	S	B	A	C	O	N	O	I
A	U	V	C	N	L	H	C	A	N	I	P	S	X
D	Y	U	O	O	A	T	E	F	T	P	E	I	F
O	A	I	H	Z	T	S	R	A	I	I	P	A	C
S	N	M	O	L	E	B	E	N	I	Z	P	H	R
O	Q	E	L	A	S	L	G	M	S	Z	E	G	U
P	J	A	I	C	Y	S	I	H	R	A	R	U	S
P	A	T	V	W	X	E	S	O	T	A	M	O	T
D	W	S	E	L	B	A	T	T	Q	M	P	D	H
S	V	H	T	L	Q	Y	E	L	S	R	A	P	I
W	C	U	W	A	I	T	R	E	S	S	O	H	N

BACON
BOX
CALZONE
CHEWY
CRUST
DOUGH
EATING
FETA
FUN
HAM
HOT
MEATS
OLIVE
ONION
OVEN
PARMESAN
PARSLEY
PASTA
PEPPER
PIZZA
PLATES
REGISTER
SAUCE
SODA
SPINACH
TABLES
THIN
TOMATO
TOPPINGS
WAITRESS

Welding

S	T	L	Q	T	Y	N	K	R	O	W	B	I	D
K	M	J	H	O	R	R	O	G	O	T	U	A	Q
I	Y	G	O	H	E	A	T	I	Y	V	I	M	N
L	I	G	S	I	S	A	I	S	T	L	L	A	O
L	D	J	R	E	N	Y	H	N	U	C	D	T	I
K	H	E	V	E	M	I	T	C	I	D	I	E	S
S	E	O	M	O	N	A	N	H	R	N	N	R	U
K	L	M	O	R	S	E	L	G	G	O	G	I	F
G	M	A	L	A	S	E	R	F	N	I	T	A	I
N	E	E	T	F	A	R	C	L	O	A	R	L	R
B	T	B	E	E	V	E	X	U	R	R	W	B	E
B	U	R	N	U	M	S	D	X	I	Z	M	C	O

AUTO
BEAM
BRIGHT
BUILDING
BURN
CRAFT
ENERGY
FIRE
FLAMES
FLUX

FORM
FRICTION
FUSION
GLOVES
GOGGLES
HEAT
HELMET
HOT
INDUSTRY
IRON

JOINING
LASER
LIGHT
MATERIAL
METALS
MOLTEN
SKILL
TORCH
TRAINING
WORK

Kittens

J	D	O	M	E	S	T	I	C	C	U	T	E	X
F	H	B	L	L	O	R	P	N	L	A	P	G	H
E	G	G	N	I	L	W	E	M	A	Y	U	R	C
L	S	R	K	L	Z	W	T	K	W	T	R	U	Z
I	H	E	A	L	B	S	Y	S	S	S	R	F	I
N	B	M	M	O	A	O	S	F	R	I	S	K	Y
E	S	E	R	A	U	G	J	T	O	E	H	K	T
T	O	N	G	N	I	N	N	U	R	F	L	W	P
W	X	B	G	B	R	S	S	E	M	I	L	K	O
J	C	N	I	A	R	T	A	B	B	Y	N	Y	D
C	A	N	Y	B	P	M	O	R	U	Q	R	G	A
V	T	I	N	Y	G	Q	G	K	K	G	Z	Y	Z

ADOPT
BABY
BENGAL
CAT
CLAWS
CURIOUS
CUTE
DOMESTIC
FEISTY
FELINE

FRISKY
FUR
MEOW
MEWLING
MILK
NEWBORN
PET
PURR
ROLL
ROMP

RUNNING
SIAMESE
SMALL
STRING
TABBY
TINY
TRAIN
WHISKERS
YARN
YOUNG

To Kill a Mockingbird

T	D	L	B	Z	S	A	N	C	K	T	W	V	B
M	N	R	E	A	D	P	G	O	P	L	T	L	W
C	E	D	A	N	N	L	I	C	O	U	R	T	S
C	C	J	E	M	A	Y	C	O	M	B	I	F	R
A	N	U	D	W	A	C	H	L	P	W	A	S	M
P	U	S	L	X	E	C	I	U	X	T	L	S	P
O	G	T	S	T	S	F	L	R	H	L	Y	U	Q
T	H	I	H	E	U	I	D	E	E	Z	L	C	Z
E	R	C	K	O	T	R	R	I	S	M	S	I	O
C	K	E	N	Z	R	O	E	V	G	F	A	T	D
A	L	E	E	I	I	N	N	O	C	E	N	T	L
R	V	R	O	I	F	H	A	M	D	E	P	A	R

AMERICAN
ATTICUS
AUTHOR
BOO
CAPOTE
CHILDREN
COURT
CULTURE
DILL
DRAMA

FATHER
FILM
FINCH
GUN
HAM
INNOCENT
JEM
JUSTICE
LAW
LEE

MAYCOMB
MOVIE
NOTES
PULITZER
RACE
RAPE
READ
SCHOOL
TREE
TRIAL

The Red Cross

R	H	R	H	V	I	C	T	I	M	S	D	R	S
A	S	E	R	V	I	C	E	E	I	E	O	R	S
W	I	D	L	E	Z	Y	D	F	D	I	O	O	O
K	M	D	A	P	T	I	O	I	X	L	L	T	R
J	A	B	B	I	C	S	N	L	M	P	F	C	C
E	N	A	O	A	J	L	A	T	I	P	S	O	H
A	U	R	L	F	H	G	T	S	L	U	U	D	A
K	S	T	G	U	E	Y	I	A	I	S	P	O	R
H	T	O	R	N	A	D	O	F	T	D	P	O	I
C	V	N	C	D	L	E	N	E	A	R	O	L	T
A	P	Y	U	S	T	E	M	T	R	U	R	B	Y
N	U	R	S	E	H	N	Z	Y	Y	H	T	B	Y

AGENCY
AID
BARTON
BLOOD
CHARITY
CPR
CROSS
DISASTER
DOCTOR
DONATION
FLOOD
FUNDS
GLOBAL
HEALTH
HELP
HOSPITAL
LIFE
MEDICAL
MILITARY
NEEDY
NURSE
RED
SAFETY
SERVICE
SUPPLIES
SUPPORT
TORNADO
TSUNAMI
VICTIMS
WAR

Health Spas

Z	P	B	M	P	A	M	P	E	R	E	S	T	P
F	E	D	U	M	B	X	R	A	G	O	Y	O	V
G	A	W	C	L	A	U	B	D	N	I	K	S	K
U	C	C	E	L	C	L	O	T	I	O	N	A	X
S	E	U	E	I	E	L	I	M	U	R	X	L	Y
T	L	R	N	Y	G	A	F	U	E	G	Z	T	P
A	S	A	U	A	L	H	N	A	Q	A	I	S	A
I	M	T	R	C	T	A	T	S	C	N	L	T	R
H	C	I	E	E	I	U	B	S	E	I	A	S	E
S	S	V	B	A	N	D	R	R	Y	C	A	R	H
T	S	E	U	G	M	I	E	A	E	W	A	L	T
Q	I	A	N	U	A	S	M	P	L	H	T	A	B

BATH
CLEANSE
CLUB
CURATIVE
FACIAL
GUEST
HERBAL
LODGE
LOTION
MANICURE

MEALS
MINERALS
MUD
NATURAL
ORGANIC
PAMPER
PEACE
PEDICURE
RELAX
REST

SALTS
SAUNA
SERENITY
SHIATSU
SKIN
STEAM
THERAPY
TRANQUIL
WEIGHT
YOGA

Summer Camp

G	G	I	R	L	S	K	N	U	B	O	Y	S	L
P	G	R	O	U	P	S	N	R	K	L	K	H	A
A	I	S	M	S	G	U	C	E	O	E	E	O	K
L	D	M	D	T	S	N	H	D	U	A	E	Y	E
E	E	S	G	N	O	S	I	A	T	R	W	T	S
R	P	V	I	E	E	H	L	E	D	N	N	I	T
K	K	B	A	T	H	I	D	L	O	I	U	V	R
Q	A	S	T	R	A	N	R	C	O	N	F	I	O
C	K	U	N	Q	T	E	E	F	R	G	A	T	P
V	A	C	A	T	I	O	N	S	T	U	O	C	S
M	F	I	S	H	I	N	G	N	I	P	M	A	C
W	O	O	D	S	D	I	K	Z	D	K	U	E	F

ACTIVITY	FUN	SCOUTS
ARTS	GIRLS	SONGS
BOYS	GROUPS	SPORTS
BUNKS	HEAT	SUMMER
CABINS	HOT	SUNSHINE
CAMPING	KIDS	TENTS
CANOEING	LAKES	TRAVEL
CHILDREN	LEADER	VACATION
FISHING	LEARNING	WEEK
FRIENDS	OUTDOOR	WOODS

John F. Kennedy

I	V	I	E	T	N	A	M	U	R	D	E	R	G
C	U	R	R	N	H	I	S	T	O	R	Y	K	N
O	A	S	E	P	I	A	N	A	V	Y	C	I	U
N	P	R	H	N	O	L	R	T	L	H	U	L	O
O	O	O	T	O	C	L	O	V	A	L	S	L	Y
I	L	T	A	O	T	H	I	R	A	C	A	E	T
T	L	A	F	M	I	L	I	T	A	R	Y	D	R
C	O	N	G	R	E	S	S	L	I	C	D	J	E
E	C	E	F	A	M	I	L	Y	D	C	L	F	B
L	H	S	C	A	M	E	L	O	T	R	S	K	O
E	N	I	L	R	E	B	R	O	T	H	E	R	R
Y	F	A	M	O	U	S	I	R	I	S	H	N	N

APOLLO
BERLIN
BROTHER
CAMELOT
CAROLINE
CHARISMA
CHILDREN
CONGRESS
DALLAS
ELECTION
FAMILY
FAMOUS
FATHER
HARVARD
HISTORY
ICON
IRISH
JFK
KILLED
MILITARY
MOON
MURDER
NAVY
POLITICS
ROBERT
SENATOR
SHOT
USA
VIETNAM
YOUNG

Funny Pages

C	N	F	U	N	N	I	E	S	D	A	I	L	Y
O	I	N	K	A	C	C	E	L	T	E	X	T	W
L	V	L	M	O	N	I	E	F	D	E	P	S	I
O	L	T	M	E	D	I	S	R	A	F	O	T	T
R	A	I	U	N	F	N	A	M	R	E	P	U	S
B	C	Q	O	R	U	W	O	R	D	S	U	N	I
S	E	L	A	D	I	L	B	E	R	T	L	A	T
S	B	G	S	N	O	O	L	L	A	B	A	E	R
K	P	C	G	N	I	D	A	E	R	O	R	P	A
O	O	S	E	B	B	O	H	P	O	P	E	Y	E
O	G	S	A	T	I	R	E	H	U	M	O	R	P
B	O	C	O	M	E	D	Y	P	O	O	N	S	W

ARTIST
BALLOONS
BATMAN
BLONDIE
BOOKS
CALVIN
COLOR
COMEDY
COMICS
DAILY

DILBERT
DRAWINGS
FAR SIDE
FUNNIES
GARFIELD
HOBBES
HUMOR
INK
PEANUTS
POGO

POPEYE
POPULAR
READING
SATIRE
SEQUENCE
SNOOPY
SUPERMAN
TEXT
WIT
WORDS

Helicopters

L	R	E	S	C	U	E	E	N	G	I	N	E	G
P	V	S	P	E	E	D	N	J	M	F	Y	D	R
E	W	F	Y	P	U	G	N	I	D	N	A	L	U
H	N	M	A	T	L	K	L	I	B	S	I	S	O
C	R	C	I	T	X	I	C	A	E	R	M	P	T
A	B	T	R	R	T	N	Z	A	C	E	U	Q	S
P	L	K	C	A	I	O	R	V	T	I	G	T	L
A	A	T	R	V	S	C	N	A	H	T	D	R	L
N	D	Y	A	E	H	H	L	O	G	Y	A	E	A
E	E	D	F	L	M	P	O	L	I	C	E	V	M
W	S	W	T	S	U	R	H	T	L	S	I	O	S
S	G	N	I	W	V	U	L	I	F	T	Y	H	F

AIRCRAFT
ALTITUDE
APACHE
ARMY
ATTACK
BLADES
CRASH
DA VINCI
ENGINE
FAST

FLIGHT
HOVER
LANDING
LIFT
MEDICAL
METAL
MILITARY
NEWS
NOISY
POLICE

RESCUE
SEARCH
SMALL
SPEED
SPIN
THRUST
TOUR
TRAVEL
TURBINE
WINGS

Colorado

H	I	D	C	R	M	R	R	E	V	N	E	D	A
I	K	S	R	E	V	I	R	P	L	A	I	N	S
E	T	A	T	S	C	E	N	I	C	T	S	L	P
Y	K	B	Y	R	O	T	S	I	H	C	T	I	E
F	P	S	I	L	V	E	R	B	N	C	R	A	N
O	V	A	C	A	T	I	O	N	S	G	O	V	C
R	M	Q	O	T	N	U	G	G	E	T	S	B	J
E	W	I	L	D	L	I	F	E	I	S	E	E	S
S	G	E	D	D	L	O	G	R	K	N	R	E	A
T	R	W	E	S	T	E	R	N	C	O	O	R	S
S	L	R	Q	P	U	E	B	L	O	W	I	G	E
B	L	E	V	A	R	T	O	U	R	I	S	T	M

ASPEN
BEER
BOULDER
CATTLE
COLD
COORS
DENVER
FORESTS
GOLD
HISTORY

MESAS
MINING
NUGGETS
PLAINS
PUEBLO
RESORTS
RIVERS
ROCKIES
SCENIC
SETTLERS

SILVER
SKI
SNOW
STATE
TOURIST
TRAVEL
VACATION
VAIL
WESTERN
WILDLIFE

Made of Leather

E	S	Y	W	S	U	Q	T	N	W	O	R	B	P
Q	S	K	I	N	T	I	H	A	I	Q	I	T	M
F	T	P	Q	M	L	A	L	T	U	A	F	O	O
E	R	S	U	P	P	L	E	A	O	A	R	U	M
B	A	H	S	F	E	L	L	S	S	O	G	G	Q
A	P	T	T	T	T	I	B	H	B	L	M	H	U
G	U	O	N	T	T	S	I	P	O	L	I	S	H
V	R	L	A	Y	U	O	X	V	C	R	A	F	T
D	S	C	P	E	N	T	E	K	C	A	J	C	G
Q	E	L	D	D	A	S	L	U	X	U	R	Y	K
T	L	E	B	I	S	O	F	T	U	B	Z	D	B
S	H	B	W	H	I	P	D	F	R	T	P	E	H

BAG
BELT
BLACK
BROWN
CATTLE
CLOTH
CRAFT
FASHION
FLEXIBLE
GLOVES

GRAIN
HIDE
JACKET
LUXURY
PANTS
POLISH
PURSE
QUALITY
SADDLE
SEATS

SKIN
SMOOTH
SOFT
SPLIT
STRAP
SUEDE
SUPPLE
TOUGH
WALLET
WHIP

Lawn Mower

U	R	F	R	M	P	E	S	M	G	J	K	I	F
Q	E	I	P	O	G	D	R	A	Y	W	T	F	D
L	D	W	D	W	E	G	A	S	T	R	Y	U	H
C	H	O	K	E	W	E	T	H	A	T	C	H	C
Y	X	R	W	R	S	E	G	Y	T	E	F	A	S
L	C	L	U	M	P	I	N	G	H	Q	T	P	X
L	B	L	A	D	E	T	C	I	W	C	C	H	X
D	A	H	X	H	L	E	E	R	H	F	L	S	T
Q	G	M	O	C	N	E	V	E	E	S	K	U	H
I	Q	I	N	S	S	A	R	G	E	X	N	P	M
R	G	R	A	K	E	R	O	I	L	L	E	U	F
G	V	T	V	D	K	A	H	R	E	M	M	U	S

BAG
BLADE
CATCHER
CHOKE
CLUMPING
CUT
EDGE
EVEN
EXERCISE
FUEL

GAS
GRASS
HEIGHT
HOSE
MOWER
MULCH
OIL
PUSH
RAKE
REEL

RIDE
ROW
SAFETY
SUMMER
SUNSHINE
THATCH
TRIM
WEEDS
WHEEL
YARD

Pearls

V	U	L	U	H	A	R	D	W	P	A	A	C	I
L	A	R	U	T	A	N	A	I	T	I	H	A	T
B	P	P	M	O	R	E	B	R	Q	K	L	D	E
E	R	A	R	O	E	C	A	O	Y	S	T	E	R
A	E	A	B	M	T	K	L	L	Y	U	M	C	E
D	C	U	C	S	S	L	O	O	N	L	A	W	H
S	I	K	Q	E	U	A	N	C	S	L	N	A	P
A	O	H	N	O	L	C	E	T	C	O	T	T	S
N	U	C	A	I	R	E	R	I	H	M	L	E	H
D	S	I	E	T	P	A	T	D	I	V	E	R	E
S	E	R	C	A	N	E	B	L	A	C	K	J	L
J	A	M	O	D	N	U	O	R	B	I	C	Z	L

ABALONE
BAROQUE
BEADS
BLACK
BRACELET
CALCITE
COLOR
DIVER
HARD
LUSTER

MANTLE
MOLLUSK
NACRE
NATURAL
NECKLACE
OCEAN
OYSTER
PINK
PRECIOUS
RARE

RICH
ROUND
SAND
SEA
SHELL
SMOOTH
SPHERE
STRAND
TAHITIAN
WATER

European Tour

A	S	I	V	D	O	D	T	E	K	C	I	T	G
R	O	M	E	C	N	A	R	F	T	A	O	B	N
Z	T	U	E	A	E	V	H	O	T	E	L	U	I
H	S	S	L	A	U	T	O	B	A	H	N	C	I
I	I	E	N	O	Z	O	R	U	E	I	H	A	K
K	R	U	L	Y	S	B	E	L	A	R	U	S	S
I	U	M	L	U	B	E	L	G	I	U	M	T	W
N	O	A	R	F	I	N	L	A	N	D	A	L	E
G	T	P	A	S	S	P	O	R	T	R	L	E	D
I	Y	A	W	R	O	N	A	I	N	O	T	S	E
C	A	F	E	S	L	O	V	A	K	I	A	H	N
S	I	R	A	P	M	J	Y	E	K	R	U	T	M

AUTOBAHN
BELARUS
BELGIUM
BOAT
BULGARIA
CAFE
CASTLE
CYPRUS
ESTONIA
EUROZONE
FINLAND
FRANCE
HIKING
HOTEL
IRELAND
ITALY
LOUVRE
MALTA
MUSEUM
NORWAY
PARIS
PASSPORT
ROME
SKIING
SLOVAKIA
SWEDEN
TICKET
TOURIST
TURKEY
VISA

Tag, You're It!

G	J	T	Z	M	R	C	H	A	S	E	Y	L	U
F	H	S	A	F	E	E	F	D	R	P	A	X	H
N	P	S	N	J	Z	S	F	E	E	U	O	A	O
K	I	L	S	N	E	I	A	Q	G	T	N	R	U
S	W	J	A	Y	E	C	S	H	N	D	S	U	T
D	O	B	B	Y	R	R	T	Z	I	E	O	U	F
I	D	L	A	E	F	E	D	Z	F	M	G	D	B
K	A	I	C	S	R	X	M	L	O	O	H	C	S
V	H	E	M	M	E	E	A	R	I	H	Z	Y	H
P	S	D	M	A	G	S	M	A	N	H	U	N	T
S	V	I	V	A	E	L	H	C	T	A	C	U	O
S	X	H	T	R	G	T	B	L	B	O	S	R	H

BASE
BUSTED
CATCH
CHASE
CHILDREN
DOBBY
DODGE
EXERCISE
FAST
FINGERS
FREEZE
FUN
GAME
HAND
HIDE
HOME
KIDS
LASER
LAUGHTER
MANHUNT
OUT
PLAY
RECESS
RUN
SAFE
SCHOOL
SHADOW
SPORT
TAG
TEAM

Lakes

H	F	P	R	L	R	T	G	S	D	N	O	P	U
N	U	B	L	J	A	E	G	L	A	C	I	A	L
L	N	R	Q	S	H	K	T	G	G	M	T	O	K
S	Q	I	O	T	Y	N	I	A	T	N	U	O	M
K	U	V	P	N	O	H	O	A	R	X	R	O	Y
I	C	E	H	F	C	I	S	C	B	C	T	E	J
C	D	R	O	I	R	E	P	U	S	X	L	R	B
W	O	S	M	A	E	R	T	S	M	L	E	I	W
O	F	O	T	B	L	V	N	Y	A	M	W	E	T
U	L	N	L	A	R	G	E	V	G	R	E	A	T
H	O	F	I	S	H	S	A	N	D	I	P	R	M
I	W	M	O	S	S	P	E	E	D	A	G	S	J

ALGAE
BAIKAL
BASS
COOL
CRATER
DEEP
DEPTH
ERIE
FISH
FLOW
FUN
GLACIAL
GREAT
HURON
ICE
LARGE
MICHIGAN
MOSS
MOUNTAIN
ONTARIO
PONDS
RIVERS
SAND
SKI
STREAMS
SUMMER
SUPERIOR
TURTLE
VALLEY
WET

Powerful

S	B	V	Y	K	S	U	H	C	N	U	A	T	S
T	E	I	F	I	R	M	I	G	H	T	Y	T	T
O	E	G	Y	H	T	L	A	E	H	D	I	Z	E
U	F	O	R	C	E	F	U	L	U	F	T	U	A
T	Y	R	G	P	O	W	E	R	F	U	L	N	D
R	H	O	I	N	S	T	A	L	W	A	R	T	Y
O	U	U	B	O	I	B	R	A	W	N	Y	I	K
B	N	S	L	C	L	S	T	A	B	L	E	R	L
U	K	I	A	E	G	N	I	K	L	U	H	I	U
S	D	R	A	L	U	C	S	U	M	U	D	N	B
T	N	E	T	O	P	S	T	U	R	D	Y	G	G
T	O	U	G	H	G	C	A	P	A	B	L	E	T

ATHLETIC
BEEFY
BIG
BRAWNY
BRUISING
BULKY
CAPABLE
DURABLE
FIRM
FORCEFUL
HEALTHY
HULKING
HUNK
HUSKY
MIGHTY
MUSCULAR
POTENT
POWERFUL
ROBUST
SOLID
STABLE
STALWART
STAUNCH
STEADY
STIFF
STOUT
STURDY
TOUGH
UNTIRING
VIGOROUS

Crosswords

S	E	S	A	R	H	P	B	O	X	E	S	T	S
E	S	R	A	S	O	L	V	I	N	G	P	H	K
L	T	E	G	L	S	R	E	W	S	N	A	E	O
Z	N	B	N	I	P	D	E	T	R	I	T	M	O
Z	I	M	I	I	A	H	G	E	E	K	T	E	B
U	H	U	L	I	Z	C	A	L	T	N	E	S	L
P	A	N	L	S	R	A	U	B	T	I	R	K	A
S	R	Y	E	Y	E	D	G	B	E	H	N	C	N
E	D	W	P	A	O	B	N	A	L	T	R	O	K
U	G	T	S	W	S	Q	A	R	M	O	Q	L	S
L	I	C	N	E	P	Y	L	C	S	E	L	B	D
C	N	O	I	T	U	L	O	S	U	N	D	A	Y

ACROSS
ALPHABET
ANSWERS
BLANKS
BLOCKS
BOOKS
BOXES
CLUES
CRYPTIC
DAILY

DOWN
EASY
GAME
HARD
HINTS
LANGUAGE
LETTERS
MAGAZINE
NUMBERS
PATTERN

PENCIL
PHRASES
PUZZLES
SCRABBLE
SOLUTION
SOLVING
SPELLING
SUNDAY
THEMES
THINKING

Crying

L	H	R	E	L	D	D	O	T	D	L	I	H	C
Y	K	D	E	W	H	I	N	I	N	G	O	S	G
Y	W	U	P	S	E	T	T	S	T	R	E	S	S
Z	G	C	Y	P	P	A	H	Y	M	T	F	E	O
N	Y	T	X	O	N	O	L	O	U	D	E	P	B
E	U	Z	N	T	J	G	N	I	H	G	U	A	L
J	H	H	R	N	I	E	O	S	Z	E	B	I	R
Z	U	U	O	A	S	S	I	L	E	Y	Y	N	W
R	M	R	B	F	A	P	T	I	S	S	U	E	S
X	A	T	W	N	D	M	O	A	N	I	N	G	S
Q	N	F	E	I	R	G	M	W	E	E	P	T	C
W	S	G	N	I	L	E	E	F	A	C	G	K	Y

BABY
CHILD
DUCT
EMOTION
EYES
FEELING
GRIEF
HAPPY
HORMONES
HUMANS

HURT
INFANT
JOY
LAUGHING
LOUD
MOANING
NEWBORN
PAIN
RESPONSE
SAD

SOB
STRESS
TANTRUM
TEAR
TISSUES
TODDLER
UPSET
WAIL
WEEP
WHINING

At an Auction

Y	X	O	R	P	M	R	O	F	T	A	L	P	F
R	T	L	O	T	K	K	F	B	P	N	E	A	O
M	U	I	D	O	P	Y	N	C	T	T	I	Y	I
M	B	S	R	N	U	M	B	E	R	I	P	M	E
E	L	T	T	A	C	N	I	N	E	Q	R	E	B
T	I	I	C	S	H	A	D	I	A	U	I	N	S
A	N	N	P	U	R	C	H	A	S	E	C	T	O
T	D	G	I	R	C	S	X	G	U	S	E	G	L
S	N	H	I	P	L	A	L	R	R	Y	A	L	D
E	A	S	I	L	E	N	T	A	E	V	E	F	B
E	L	A	S	U	R	Y	U	B	E	S	U	O	H
I	T	E	M	S	K	R	G	L	P	D	R	A	C

ANTIQUES	ESTATE	PODIUM
BARGAIN	GAVEL	PRICE
BID	HOUSE	PROXY
BLIND	ITEMS	PURCHASE
BUY	LAND	SALE
CARD	LISTING	SELL
CATTLE	LOT	SILENT
CHARITY	NUMBER	SOLD
CLERK	PAYMENT	SURPLUS
DEALS	PLATFORM	TREASURE

Mythology

C	X	Y	T	S	E	R	A	R	U	A	E	H	R
Y	L	B	A	J	A	L	S	M	E	D	U	S	A
R	A	L	X	I	J	I	M	D	I	G	P	K	P
O	T	B	T	A	M	A	Z	O	N	S	D	F	L
A	H	S	T	E	R	A	N	S	U	N	A	R	U
V	E	A	T	S	C	Y	C	L	O	P	S	E	T
H	N	R	P	L	S	U	R	A	T	R	A	T	O
E	A	O	N	O	D	I	E	S	O	P	H	E	D
R	K	D	S	Z	L	Y	R	U	C	R	E	M	S
A	E	I	E	A	S	L	S	U	P	I	D	E	O
Q	O	U	N	S	J	X	O	L	H	A	F	D	R
J	S	S	E	S	R	E	P	N	I	Z	N	I	E

AMAZONS
APOLLO
ARES
ARTEMIS
ATHENA
ATLAS
AURA
CYCLOPS
DEMETER
DIONYSOS
EOS
EROS
HADES
HERA
HESTIA
JASON
MARS
MEDUSA
MERCURY
NIKE
OEDIPUS
PAN
PERSES
PLUTO
POSEIDON
RHEA
STYX
TARTARUS
URANUS
ZEUS

Hug

G	E	S	T	U	R	E	H	T	E	G	O	T	E
B	N	R	E	L	P	O	E	P	R	R	I	B	X
R	I	X	E	M	O	C	L	E	W	E	P	E	T
I	S	G	N	I	L	E	E	F	L	A	H	A	E
E	Q	N	R	I	N	T	I	M	A	C	Y	R	N
F	U	I	F	O	I	C	L	L	N	T	S	H	D
C	E	G	D	N	U	O	R	A	O	I	I	S	E
L	E	N	G	D	V	P	W	U	S	O	C	I	D
O	Z	I	D	E	F	K	N	T	R	N	A	R	J
S	E	L	D	E	T	I	N	U	E	R	L	E	O
E	E	C	A	R	M	S	Y	M	P	A	T	H	Y
L	E	N	G	T	H	S	C	O	N	T	A	C	T

ARMS
AROUND
BEAR
BRIEF
CHERISH
CLINGING
CLOSE
CONTACT
CUDDLE
EXTENDED
FEELINGS
GESTURE
GREETING
GROUP
INTIMACY
JOY
KISS
LENGTH
LOVE
MUTUAL
PEOPLE
PERSONAL
PHYSICAL
REACTION
REUNITED
SQUEEZE
SYMPATHY
TOGETHER
TWO
WELCOME

Cafeterias

G	X	Q	L	E	S	D	C	C	O	L	U	X	M
S	J	U	N	P	R	K	B	O	O	Q	N	Q	O
F	O	I	U	I	E	I	B	U	F	F	E	T	S
A	L	C	N	S	G	T	D	N	Q	F	M	S	O
C	Y	K	T	N	I	C	S	T	U	D	E	N	T
I	C	D	C	A	S	H	I	E	R	H	C	E	L
L	M	A	O	C	T	E	P	R	S	H	C	N	U
I	X	L	L	K	E	N	C	I	A	T	E	I	N
T	D	A	L	S	R	U	D	I	Z	G	A	D	C
Y	O	S	E	R	V	E	R	I	F	Z	V	L	H
E	Y	R	G	N	U	H	D	O	O	F	A	G	L
P	N	Y	E	R	O	T	S	W	K	O	O	C	Z

BIG
BUFFET
CASHIER
CHAIR
COFFEE
COLLEGE
COOK
COUNTER
CUPS
DINE
DISHES
DRINK
FACILITY
FOOD
HUNGRY
KITCHEN
LINE
LOUD
LUNCH
MENU
OFFICE
PIZZA
QUICK
REGISTER
SALAD
SERVER
SNACKS
STALL
STORE
STUDENT

Jewelry

I	C	A	S	E	K	M	D	L	O	G	E	M	S
I	R	E	V	L	I	S	L	L	E	H	S	O	T
G	A	Y	H	M	U	N	I	T	A	L	P	M	N
N	F	T	N	E	S	E	R	P	Q	R	R	I	A
I	T	C	N	B	U	C	K	L	E	S	E	A	D
T	J	E	W	E	L	K	R	O	L	O	C	M	N
T	B	I	I	Y	M	L	T	I	G	A	I	B	E
E	R	I	H	P	P	A	S	E	N	V	O	E	P
S	O	E	M	A	C	C	N	K	A	G	U	R	I
C	O	S	T	U	M	E	L	R	B	S	S	D	N
E	C	N	G	I	S	E	D	N	O	M	A	I	D
S	H	I	N	Y	V	X	C	N	E	M	O	W	E

AMBER
ANKLE
BANGLE
BROOCH
BUCKLES
CAMEO
CASE
COLOR
COSTUME
CRAFT
DESIGN
DIAMOND
EMERALD
GEM
GOLD
JEWEL
NECKLACE
ORNAMENT
PENDANT
PIN
PLATINUM
PRECIOUS
PRESENT
RING
SAPPHIRE
SETTING
SHELLS
SHINY
SILVER
WOMEN

Scouts

Y	L	L	S	L	L	I	K	S	O	C	I	A	L
B	I	J	E	R	E	T	S	A	M	L	Q	Y	Y
C	O	F	H	O	U	T	D	O	O	R	S	J	B
U	F	Y	C	K	E	E	U	C	V	P	M	A	C
B	E	M	T	C	R	E	T	H	E	U	D	G	P
S	R	L	A	A	U	L	Y	I	M	G	N	G	M
T	T	O	P	P	T	G	R	L	E	I	N	R	Y
R	N	E	W	R	A	A	A	D	N	I	O	O	W
O	R	E	O	N	N	E	Z	R	T	F	U	N	Q
P	H	O	T	G	I	Z	A	E	I	T	B	O	J
S	P	L	E	D	G	E	E	N	H	X	Z	H	D
R	L	R	I	G	L	M	U	T	U	O	C	S	K

BADGE
BOY
BROWNIE
CAMP
CHILDREN
CUB
DUTY
EAGLE
GIRL
HONOR

LEARNING
MASTER
MEETING
MOVEMENT
NATURE
OUTDOORS
PACK
PATCHES
PLEDGE
PREPARED

RANGER
SCOUT
SKILLS
SOCIAL
SPORTS
TENT
TREFOIL
TROOP
UNIFORM
YOUTH

Coal

B	L	A	C	K	O	W	U	G	F	U	E	L	P
A	I	D	K	I	C	A	R	B	O	N	R	M	K
P	B	R	T	T	N	A	L	P	S	D	U	S	T
T	F	A	H	S	P	D	N	E	S	L	V	T	R
R	M	H	L	H	U	N	E	C	I	R	N	Y	A
U	I	S	I	Y	B	B	R	R	L	E	P	D	I
F	N	T	G	D	P	P	M	U	G	F	O	E	N
L	E	E	N	R	S	E	E	O	B	I	W	N	E
U	K	A	I	O	Q	A	R	S	C	N	E	B	G
S	O	M	T	G	X	T	I	E	N	E	R	G	Y
Q	M	F	E	E	I	V	F	R	H	D	Z	P	X
H	S	A	G	N	I	K	C	O	T	S	T	L	O

ASH
BLACK
BURN
CARBON
CINDER
COMBUST
DUST
ENERGY
FIRE
FOSSIL
FUEL
GRAPHITE
HARD
HYDROGEN
LIGNITE
LUMP
MINE
NITROGEN
OXYGEN
PEAT
PLANT
POWER
REFINED
RESOURCE
SHAFT
SMOKE
STEAM
STOCKING
SULFUR
TRAIN

Ears

P	A	D	N	U	O	S	G	U	L	P	F	E	Q
E	A	R	A	C	H	E	L	E	P	H	A	N	T
T	N	S	L	A	N	A	C	D	R	U	M	R	B
A	V	D	Z	D	M	E	L	D	D	I	M	E	Y
R	I	U	R	E	E	S	T	I	R	R	U	P	S
B	L	B	H	A	M	A	T	S	E	A	P	S	F
I	O	L	A	F	B	O	E	N	I	O	R	I	F
V	O	O	M	L	R	B	N	L	L	L	E	H	U
F	R	B	M	Y	A	I	I	F	H	Q	T	W	M
K	G	E	E	J	N	N	X	T	S	C	U	S	S
W	A	X	R	S	E	L	C	I	S	S	O	F	S
I	N	C	U	S	T	A	P	E	S	F	H	C	J

ANVIL
AUDITORY
BALANCE
BUDS
CANAL
COCHLEA
DEAF
DRUM
EARACHE
ELEPHANT
FLOPPY
HAMMER
INCUS
INNER
LISTEN
LOBE
MEMBRANE
MIDDLE
MUFFS
ORGAN
OSSICLES
OUTER
PLUGS
RABBIT
SOUND
STAPES
STIRRUP
VIBRATE
WAX
WHISPER

Little House on the Prairie

Y	A	P	K	O	O	B	P	R	H	U	W	J	P
X	E	Y	E	N	E	L	L	I	E	B	I	W	Y
F	O	S	L	L	A	G	N	I	O	U	N	I	R
F	A	Z	X	A	F	C	R	W	N	N	T	L	A
S	R	R	N	G	N	I	I	N	E	D	E	D	M
C	U	O	M	A	A	D	N	R	I	S	R	E	A
H	A	G	N	R	M	S	D	O	E	B	T	R	R
O	L	R	P	T	E	L	Y	L	I	M	A	F	D
O	C	A	R	R	I	E	A	A	S	T	A	C	N
L	J	C	I	H	S	E	L	R	A	H	C	W	Q
X	E	E	C	S	E	I	R	O	T	S	O	I	W
E	S	R	O	H	S	C	Z	R	T	T	E	W	F

ALMANZO
AMERICAN
BLIND
BOOK
CABIN
CARRIE
CHARLES
CHILDREN
DRAMA
FAMILY
FARM
FICTION
FRONTIER
GRACE
HORSE
INGALLS
LAND
LAURA
MARY
NELLIE
PIONEER
PRAIRIE
SCHOOL
SERIES
SHOW
STORIES
TOWN
WEST
WILDER
WINTER

Big Concerts

C	O	H	S	T	O	P	S	D	E	S	Z	H	M
U	P	L	C	R	M	H	S	G	N	Q	I	A	Y
E	N	V	I	A	C	G	A	D	Y	U	T	N	Q
U	H	O	R	T	N	T	I	C	W	I	O	D	G
B	P	C	Y	I	S	T	P	G	C	O	K	S	J
U	X	A	L	U	H	R	R	K	S	X	R	K	E
S	O	L	O	G	O	O	E	U	N	E	V	C	M
I	I	I	V	M	W	T	S	K	C	Z	T	I	U
B	Z	S	O	N	G	S	N	N	A	K	E	T	L
P	S	T	H	G	I	L	A	D	A	E	E	I	O
V	E	C	N	E	I	D	U	A	R	F	P	E	V
R	P	A	I	V	B	A	N	D	R	U	M	S	T

ACTS
AUDIENCE
BAND
BILLING
BUS
CITIES
CROWD
DANCERS
DRUMS
FANS
GIG
GUITAR
HANDS
LIGHTS
LYRICS
PROMOTER
SET
SHOW
SING
SOLO
SONGS
SOUND
SPEAKERS
STAGE
STOPS
TICKET
TRUCK
VENUE
VOCALIST
VOLUME

Calculators

T	T	R	M	E	E	V	I	F	E	F	G	T	K
D	O	A	S	C	H	O	O	L	W	N	T	B	D
S	T	E	K	C	A	R	B	T	H	G	I	E	I
H	A	L	K	Z	M	L	R	J	F	G	R	N	V
J	L	C	A	U	D	E	C	I	M	A	L	S	I
E	Q	C	L	N	W	A	G	U	U	V	R	O	D
P	J	A	E	O	A	U	L	Q	L	E	E	L	E
L	E	V	P	E	R	T	S	G	B	U	P	A	G
U	E	C	N	E	I	C	S	M	E	G	S	R	R
S	R	O	S	P	T	R	U	O	F	B	R	H	A
I	H	C	L	W	Y	N	T	N	E	C	R	E	P
X	T	Y	O	R	E	Z	U	V	A	L	P	A	H

ALGEBRA
BRACKETS
CALCULUS
CLEAR
DECIMALS
DIVIDE
EIGHT
FIGURES
FIVE
FORMULA
FOUR
GRAPH
MATH
MULTIPLY
NINE
NUMBERS
ONE
PERCENT
PLUS
POWER
SCHOOL
SCIENCE
SEVEN
SIX
SOLAR
SQUARED
THREE
TOTAL
TWO
ZERO

Truck Stop

J	G	D	R	S	L	E	U	F	L	X	Y	I	J
G	P	S	P	J	E	R	K	Y	U	F	O	O	D
Z	U	A	Y	B	X	O	Q	N	D	C	B	I	R
I	M	M	D	O	I	T	F	I	O	N	B	O	I
A	P	H	D	O	T	S	N	F	S	H	A	S	N
C	S	M	C	B	S	E	F	R	A	D	T	C	K
W	T	L	R	T	R	E	E	T	S	Y	H	C	S
Y	R	E	S	T	E	K	N	I	R	T	R	Y	P
I	A	V	C	Q	C	R	D	D	T	Q	O	E	I
K	P	A	A	U	I	E	T	S	E	E	O	H	H
S	D	R	R	G	D	I	E	S	E	L	M	C	C
B	Y	T	S	N	S	R	Q	U	D	O	I	L	D

BATHROOM
BREAK
CANDY
CHIPS
COFFEE
DELI
DIESEL
DINER
DRINKS
EXIT

FOOD
FUEL
GUM
HAT
HONK
JERKY
MAPS
OIL
PARTS
PUMPS

REST
RIGS
ROADSIDE
SODA
STORE
STRETCH
TOYS
TRAVEL
TRINKETS
TRUCKERS

Silver

L	H	O	E	C	A	R	B	L	A	D	E	R	O
I	B	A	R	Y	D	R	U	T	S	R	F	W	I
K	F	A	R	L	I	R	A	R	I	T	I	T	M
M	C	Q	O	D	E	B	S	W	N	E	N	B	L
Z	S	C	G	V	Q	P	I	H	S	M	K	E	L
I	R	E	L	B	A	R	U	D	E	P	U	A	I
D	H	I	N	Z	C	G	X	X	O	E	I	M	M
I	S	G	N	I	D	L	I	U	B	R	T	I	D
M	G	T	U	G	H	T	G	N	E	R	T	S	M
J	E	N	L	O	G	C	E	T	A	L	P	I	K
P	S	L	O	O	T	R	A	L	L	O	Y	I	Q
O	D	D	T	Q	B	M	Z	M	E	T	A	L	V

ALLOY
BAR
BEAM
BLADE
BOLTS
BRACE
BRIDGE
BUILDING
CAR
COLD
DURABLE
HARD
KNIFE
MACHINES
MATERIAL
MELT
METAL
MILL
ORE
PLATE
ROD
SHEET
SHIP
SILVER
STRENGTH
STURDY
TEMPER
TOOLS
TOUGH
WIRE

Oops!

K	F	K	M	X	O	L	F	A	U	L	T	R	F
S	V	Y	C	G	B	A	O	H	O	A	C	I	N
F	C	C	O	A	H	L	P	S	V	P	E	A	G
R	U	I	N	R	R	W	U	I	E	S	L	P	N
A	T	E	B	O	T	C	H	N	R	E	G	E	O
D	R	O	P	M	I	S	J	U	D	G	E	R	R
T	O	R	K	Z	H	S	E	F	O	E	N	E	W
E	U	A	N	A	T	T	U	D	N	C	R	C	K
R	B	E	T	A	E	M	O	L	E	Q	H	T	J
G	L	T	I	L	B	R	D	E	E	D	S	I	M
E	E	N	E	L	O	F	B	A	D	D	V	F	P
R	S	D	E	S	A	R	E	R	R	O	R	Y	N

BAD
BLUNDER
BOTCH
BREAK
CHIP
CRACK
DELETE
DELUSION
DESTROY
DROP

ERASE
ERROR
FAULT
FUMBLE
LAPSE
LOSE
MISDEED
MISJUDGE
NEGLECT
OVERDONE

RECTIFY
REGRET
REPAIR
RIP
RUIN
SHATTER
STAIN
TEAR
TROUBLE
WRONG

Horseshoes

Q	U	F	P	R	S	T	E	E	L	C	T	R	A
O	P	C	O	W	A	G	A	Z	S	A	H	E	B
Q	O	O	I	S	A	N	V	I	L	R	R	P	H
T	L	W	N	T	H	I	C	S	M	E	O	A	N
U	O	B	T	A	S	C	H	H	R	B	W	H	M
G	L	O	S	K	D	A	T	O	Z	B	K	S	U
W	L	Y	F	E	M	R	L	I	H	U	D	H	K
F	A	U	T	M	G	K	I	P	P	R	H	O	N
I	M	T	E	N	L	R	A	D	L	N	V	D	B
L	I	R	L	O	S	S	O	T	I	A	G	K	D
F	N	C	F	E	E	T	T	F	A	N	H	L	U
U	A	L	U	M	I	N	U	M	N	G	G	E	D

ALUMINUM
ANIMAL
ANVIL
ART
COWBOY
FEET
FITTED
FOLKLORE
FOOT
FORGE
GAIT
GLUE
HAMMER
HORSE
NAIL
PITCH
PLASTIC
POINTS
POLO
RACING
RANCH
RIDING
RUBBER
SHAPE
SHOD
SIZE
STAKE
STEEL
THROW
TOSS

Snowboarding

D	E	R	H	S	E	L	G	G	O	G	W	D	G
H	I	S	X	G	A	M	E	S	L	A	L	O	M
A	L	P	I	N	E	T	S	W	I	T	C	H	S
T	L	L	L	I	H	N	W	O	D	A	J	T	P
U	O	E	E	D	I	R	E	E	R	F	O	G	O
E	N	C	P	N	A	K	E	V	A	O	E	N	R
X	B	A	R	I	G	C	I	F	B	A	D	I	T
T	I	R	L	B	P	N	S	K	R	Q	G	F	U
R	G	J	T	O	G	F	I	P	C	U	I	R	R
E	A	H	C	I	V	O	L	I	M	S	N	U	N
M	I	T	R	I	C	K	S	A	K	U	G	S	S
E	R	R	S	T	E	M	L	E	H	S	J	I	B

ALPINE
BIG AIR
BINDINGS
BOOTS
CARVING
DOWNHILL
EDGING
EXTREME
FREERIDE
GEAR
GOGGLES
HALFPIPE
HELMETS
JIB
JUMPS
MILOVICH
NOLLIE
RACE
RAIL JAM
SHRED
SKIING
SLALOM
SNURFER
SPORT
SURFING
SWITCH
TRICKS
TURNS
UTAH
X GAMES

Blood

C	T	U	H	P	C	I	X	C	C	B	K	Q	I
N	S	D	I	U	Q	I	L	L	W	L	I	F	E
I	E	O	T	M	M	E	S	O	C	U	L	G	K
A	T	N	B	P	K	A	U	T	P	E	V	U	C
T	R	A	L	E	H	N	N	R	U	E	E	Y	I
S	K	T	E	D	D	T	O	K	S	R	M	N	H
S	N	I	E	V	U	T	E	S	U	O	O	J	T
L	A	O	D	R	E	M	E	S	T	R	A	E	H
U	B	N	I	I	I	L	S	A	I	M	E	N	A
N	K	E	N	A	S	E	N	O	M	R	O	H	Q
G	N	S	G	O	R	A	S	E	P	Y	T	N	F
S	E	R	I	P	M	A	V	W	O	L	F	U	C

ANATOMY
ANEMIA
ARTERIES
BANK
BLEEDING
BLUE
CLOT
CUT
DONATION
FLOW
GLUCOSE
HEART
HORMONES
HUMAN
IRON
LEUKEMIA
LIFE
LIQUID
LUNGS
PRESSURE
PROTEINS
PUMPED
STAIN
TEST
THICK
TYPES
VAMPIRES
VEINS
VESSELS
WOUND

Coach

C	R	S	P	E	E	C	H	C	N	E	B	Z	K
A	H	E	L	P	F	O	O	T	B	A	L	L	G
R	E	C	C	O	S	N	C	A	M	D	T	P	N
E	R	M	S	T	L	U	S	E	R	V	I	R	I
E	K	E	O	M	R	E	N	F	O	I	U	E	H
R	Z	S	D	T	B	O	R	I	F	C	R	P	C
E	G	Y	S	A	I	H	E	L	N	E	C	A	T
D	D	N	L	T	E	V	G	Z	I	E	E	R	I
I	I	L	I	A	P	L	A	N	O	S	R	E	P
U	D	S	D	T	N	U	N	T	E	N	N	I	S
G	O	A	L	S	C	A	A	Y	E	K	C	O	H
P	K	C	A	R	T	A	M	E	E	T	I	N	G

ACTING
ADVICE
ANALYZE
BASEBALL
BENCH
CAREER
FOOTBALL
GOALS
GUIDE
HEAD

HELP
HOCKEY
INFORM
INSTRUCT
LEADER
LIFE
MANAGER
MEETING
MOTIVATE
PERSONAL

PITCHING
PLAN
POSITION
PREPARE
RECRUIT
RESULTS
SOCCER
SPEECH
TENNIS
TRACK

Baby Animals

R	L	A	Y	X	Z	H	B	U	T	Z	K	A	E
S	Y	A	E	O	H	S	H	O	A	T	G	S	B
L	Q	V	O	C	Y	G	N	E	T	V	E	Z	G
Y	P	U	J	F	A	W	N	F	A	R	R	O	W
T	L	U	A	R	E	T	T	I	L	E	W	A	P
L	B	L	L	B	D	U	C	K	L	I	N	G	L
O	M	W	I	L	U	E	D	B	L	S	V	M	E
C	A	L	F	F	E	C	A	L	C	G	O	J	H
E	L	O	P	D	A	T	O	G	E	H	K	G	W
Y	N	N	U	B	S	P	T	E	L	G	I	P	W
F	M	H	L	N	Y	M	P	H	H	E	D	C	K
Y	P	P	U	P	U	C	O	W	L	E	T	N	K

BILLY
BUNNY
CALF
CHICK
COLT
CUB
CYGNET
DUCKLING
EAGLET
FARROW

FAWN
FILLY
FOAL
GOSLING
JOEY
KID
LAMB
LARVA
LITTER
NYMPH

OWLET
PIGLET
POLLIWOG
PULLET
PUPPY
SHOAT
SQUAB
TADPOLE
UNSTABLE
WHELP

Taxi!

A	S	H	O	I	X	A	T	H	G	I	L	T	R
I	T	T	D	W	N	R	O	R	E	T	E	M	S
W	A	T	R	A	F	F	I	C	A	Q	U	N	H
A	N	I	I	O	E	H	A	L	P	V	F	B	A
V	D	T	V	Y	P	T	K	U	L	L	E	C	R
E	C	N	E	V	C	R	K	G	A	C	L	L	E
N	V	N	R	H	O	C	I	G	N	N	C	C	I
Z	O	A	S	Y	I	E	G	A	E	L	I	M	B
M	T	R	W	P	L	X	T	G	I	V	H	P	B
E	A	E	R	I	H	S	G	E	R	Y	E	I	A
C	N	I	H	A	I	L	A	E	F	Q	V	R	C
R	L	O	N	D	O	N	S	T	R	E	E	T	S

AIRPORTS
CABBIE
CATCH
DISTANCE
DRIVERS
FLAG
FUEL
GAS
HAIL
HIRE

LIGHT
LONDON
LUGGAGE
METER
MILEAGE
MONEY
NEW YORK
PICK UP
RATE
RIDE

SERVICE
SHARE
STAND
STREETS
TAXI
TRAFFIC
TRAVEL
TRIP
VEHICLE
WAVE

Debates

O	J	O	F	A	L	L	A	C	Y	M	A	E	T
N	O	T	E	S	T	H	O	U	G	H	T	S	V
M	O	N	I	T	O	R	Q	C	E	U	S	S	I
U	J	R	M	C	P	O	I	N	T	V	C	N	S
I	U	H	G	A	P	G	T	C	A	O	O	S	L
D	D	E	N	F	O	E	I	L	R	I	U	A	C
O	G	T	I	L	N	M	R	I	T	C	T	A	I
P	E	O	K	E	E	H	N	S	S	T	S	V	L
R	U	R	L	D	N	G	E	I	U	E	S	Q	B
O	G	I	A	I	T	U	D	B	E	A	L	F	U
O	R	C	T	S	Q	R	E	D	R	O	D	U	P
F	A	N	S	W	E	R	S	B	I	C	K	E	R

ACADEMIC
ANSWERS
ARGUE
BICKER
CASE
DISCUSS
FACTS
FALLACY
ISSUE
JUDGE

LOGIC
MONITOR
NOTES
OPPONENT
ORDER
PERSUADE
PODIUM
POINT
PROOF
PUBLIC

QUESTION
REBUTTAL
RHETORIC
RULES
SCORING
SIDE
STRATEGY
TALKING
TEAM
THOUGHTS

Alaska

T	K	Y	U	K	O	N	E	Z	O	R	F	B	E
V	C	N	W	L	G	N	I	T	N	U	H	E	C
I	A	O	G	S	R	E	I	C	A	L	G	A	E
D	R	M	E	N	E	A	G	E	I	M	R	R	A
W	I	L	D	L	I	F	E	N	D	A	I	I	B
T	B	A	Z	S	T	Z	A	I	I	A	T	L	V
U	O	S	S	B	N	I	E	L	T	H	O	A	C
N	U	U	N	M	O	L	C	E	A	I	S	R	O
D	R	W	O	R	R	A	B	P	R	T	U	I	F
R	K	O	W	P	F	N	B	I	O	F	L	N	F
A	S	W	I	N	T	E	R	P	D	L	O	C	I
E	S	E	W	A	R	D	U	A	E	N	U	J	D

BARROW
BEAR
CARIBOU
CLIMATE
COLD
DENALI
FISHING
FREEZING
FRONTIER
FROZEN
GLACIERS
HUNTING
IDITAROD
INUIT
JUNEAU
MOOSE
OIL
PIPELINE
RAIL
ROAD
RUSSIA
SALMON
SEWARD
SNOW
TUNDRA
USA
VAST
WILDLIFE
WINTER
YUKON

Hammocks

V	G	R	Z	G	N	I	G	N	I	W	S	S	S
A	O	O	I	N	E	L	G	N	U	J	F	I	T
Z	P	L	T	I	E	D	G	N	I	L	S	M	S
T	C	I	B	X	C	N	C	L	O	T	H	P	O
H	I	A	L	A	I	R	E	T	A	M	T	L	P
G	R	S	N	L	C	A	M	P	I	N	G	E	D
I	B	V	L	E	O	K	F	G	M	A	Y	A	N
N	A	A	N	R	N	W	Y	K	N	U	B	O	A
S	F	Q	O	D	M	R	E	A	D	I	N	G	L
H	Q	P	L	A	C	I	P	O	R	T	R	A	S
S	E	E	R	T	W	O	V	E	N	D	Y	T	I
S	H	I	P	S	H	H	Y	R	E	M	M	U	S

BACKYARD
BUNK
CAMPING
CANVAS
CLOTH
FABRIC
FALLING
ISLAND
JUNGLE
LAY

MATERIAL
MAYAN
NETTING
NIGHT
PILLOW
POSTS
READING
RELAXING
ROPES
SAILOR

SHIPS
SIMPLE
SLING
STRING
SUMMER
SWINGING
TIED
TREES
TROPICAL
WOVEN

Climb a Mountain

H	I	K	I	N	G	D	E	S	C	E	N	T	T
G	E	R	O	P	E	S	J	N	D	A	N	N	R
N	C	I	E	O	A	K	A	U	I	E	V	S	O
I	X	Y	G	H	R	T	T	B	P	P	U	E	P
I	C	L	K	H	T	I	H	A	E	M	L	P	S
K	M	E	P	C	T	A	L	V	M	L	E	A	F
S	H	V	A	L	O	S	E	I	Z	E	A	H	O
K	O	A	A	X	T	R	T	W	T	N	F	Y	X
A	B	R	L	O	E	S	I	S	A	F	E	T	Y
E	B	T	O	S	P	O	C	A	M	P	I	N	G
P	Y	B	T	E	B	I	T	C	O	L	D	E	E
S	K	L	V	J	W	S	N	O	W	Z	V	T	N

ALPINE
ALTITUDE
ATHLETIC
BELAY
BOOTS
CAMPING
CAVES
COLD
DESCENT
EVEREST
GEAR
HEIGHTS
HIKING
HOBBY
ICE AXE
NEPAL
OXYGEN
PEAKS
ROCKY
ROPES
SAFETY
SKIING
SNOW
SPORT
STEEP
SUMMITS
TENT
TIBET
TRAVEL
WEATHER

Eating Onions

T	B	Z	R	S	R	E	Y	A	L	D	X	X	D
B	U	S	R	O	U	N	D	B	O	S	V	I	F
Y	Q	C	V	W	D	X	T	O	L	L	A	H	S
L	A	A	G	S	B	O	F	N	Y	N	N	T	A
D	L	L	W	N	L	C	C	R	E	D	W	O	P
F	V	L	U	R	O	I	C	H	I	G	R	Y	I
E	I	I	G	O	O	R	C	S	I	E	N	G	D
U	D	O	K	N	M	T	T	E	A	V	D	U	P
S	A	N	D	W	I	C	H	S	Y	L	E	L	P
S	L	Q	L	K	N	R	E	D	Q	E	A	H	U
Y	I	F	I	B	G	A	R	D	E	N	S	D	O
F	A	Z	W	W	V	Z	C	E	T	I	H	W	S

BLOOMING
CHIVE
COOK
CRY
CUT
DIP
EYES
FLAVOR
FOOD
FRIED

GARDEN
KITCHEN
LAYERS
ODOR
PLANT
POWDER
PUNGENT
RED
RING
ROUND

SALAD
SANDWICH
SCALLION
SHALLOT
SLICE
SOUP
STRONG
VIDALIA
WHITE
WILD

Water Balloon Fun

R	S	C	S	A	B	S	R	T	E	W	C	G	F
M	E	D	R	E	N	C	H	C	N	U	A	L	H
D	T	B	R	K	D	X	W	O	R	H	T	R	B
F	Y	P	B	O	B	A	T	T	L	E	C	S	M
M	A	O	O	U	P	D	N	R	X	T	H	P	O
S	S	U	R	P	R	I	S	E	K	A	E	R	B
Z	U	T	C	K	Z	U	Y	M	R	R	V	A	U
J	K	D	J	E	W	Q	F	M	K	G	L	N	R
T	H	O	F	U	T	I	I	U	L	E	A	K	S
I	K	O	M	E	F	L	L	S	J	T	V	M	T
E	F	R	I	E	N	D	L	Y	O	H	O	S	E
D	V	S	A	D	H	W	S	Y	I	B	D	V	Z

AIM
BATTLE
BOMB
BREAK
BURST
CATCH
DRENCH
DROP
FAUCET
FILL
FRIENDLY
GAME
GRENADE
HOSE
JOKE
LAUNCH
LIQUID
OUTDOORS
POP
PRANK
RUBBER
SUMMER
SURPRISE
TARGET
THROW
TIE
TOY
VALVE
WAR
WET

The 1980s

D	C	A	R	S	P	O	A	V	H	P	A	G	N
R	I	V	P	F	D	R	Q	A	Q	J	A	E	O
E	S	S	U	O	M	I	I	D	E	C	A	D	E
A	U	E	C	B	H	R	A	N	N	O	D	A	M
G	M	I	T	O	O	P	I	O	C	D	E	L	A
A	X	V	P	S	G	N	I	G	G	E	L	L	F
N	O	O	B	V	T	H	J	H	B	V	Y	A	B
J	B	M	H	E	S	N	B	O	I	A	T	S	K
D	M	S	N	A	E	J	S	D	V	L	S	T	M
Q	O	D	F	O	Y	R	E	L	L	I	R	H	T
J	O	V	N	K	C	O	R	N	L	L	N	U	V
U	B	V	I	V	S	D	N	A	B	U	S	H	B

AIDS
BANDS
BON JOVI
BOOMBOX
BUSH
CARS
DALLAS
DECADE
DISCO
FAME
FASHION
HAIR
HIP HOP
JEANS
LEGGINGS
MADONNA
MOUSSE
MOVIES
MTV
MUSIC
NEON
NINTENDO
PRINCE
REAGAN
ROCK
STYLE
THRILLER
VCRS
VHS
VIDEOS

Briefcase

B	M	E	P	H	O	N	E	F	S	S	U	Y	R
M	U	F	G	F	K	R	E	A	R	E	D	R	E
N	G	S	F	N	O	Z	T	C	E	T	O	R	P
S	L	I	I	T	I	C	W	N	G	O	E	A	A
T	C	E	S	N	H	H	S	A	R	N	G	C	P
E	E	Z	A	E	E	N	I	Z	A	G	A	M	S
K	D	G	L	T	A	S	C	B	H	S	G	E	Y
C	R	P	A	C	H	L	S	A	C	T	G	T	E
O	E	O	K	G	A	E	N	T	A	N	A	A	K
P	W	S	W	S	G	D	R	N	S	I	B	L	C
P	O	T	P	A	L	U	Q	T	H	M	M	F	O
Z	F	I	L	E	S	L	L	A	W	Y	E	R	L

BAGGAGE
BUSINESS
CARRY
CASH
CHARGER
CLASP
FILES
GUM
HANDLE
HINGE
KEYS
LAPTOP
LAWYER
LEATHER
LOCK
LUGGAGE
MAGAZINE
METAL
MINTS
NOTES
OFFICE
ORGANIZE
PAPER
PHONE
POCKETS
PROTECT
SATCHEL
SNACKS
STORE
WORK

Hot Wheels

B	I	S	D	I	E	C	A	S	T	F	O	R	D
O	C	H	E	V	Y	W	L	J	L	A	T	E	M
S	P	E	U	I	H	G	N	A	T	S	U	M	T
D	E	F	V	E	R	C	M	S	S	R	A	C	R
I	D	L	E	I	O	E	O	Y	P	S	D	O	U
K	E	L	C	P	R	E	S	L	T	E	I	F	C
J	S	E	N	I	L	D	E	R	O	B	E	C	K
D	I	F	C	E	H	A	H	O	T	R	O	D	S
N	G	A	T	R	F	E	S	R	A	C	S	A	N
B	N	T	X	N	A	V	V	T	R	A	C	K	S
C	A	L	L	A	M	S	A	C	I	L	P	E	R
M	O	D	Y	B	B	O	H	R	A	C	I	N	G

AMERICAN
CARS
CHEVY
CLASSICS
COLORS
CRASH
DESIGN
DIE CAST
DRIVE
FLAME

FORD
HOBBY
HOT RODS
KIDS
MATTEL
METAL
MUSTANG
NASCAR
PLASTIC
RACING

RED LINE
REPLICA
SERIES
SMALL
SPEED
TRACKS
TRUCKS
VAN
VEHICLES
WHEELS

Palm Trees

R	E	T	A	W	C	T	R	O	P	I	C	S	H
J	C	R	I	O	O	N	L	L	A	T	I	A	S
P	S	U	I	P	A	O	J	E	L	B	T	G	T
S	D	N	A	L	S	I	S	T	M	O	O	O	R
L	V	K	W	A	T	T	F	H	E	T	X	H	E
O	N	A	A	N	A	A	U	I	T	A	E	D	S
B	R	A	H	T	L	C	P	N	T	N	N	G	E
M	R	D	E	T	P	A	L	M	O	I	L	N	D
Y	R	O	T	C	I	V	H	N	W	C	A	O	C
S	P	O	U	J	O	K	A	D	I	R	O	L	F
D	C	W	O	G	G	N	I	B	M	I	L	C	X
T	R	E	E	S	H	A	D	E	O	E	C	Y	Y

BOTANIC
CLIMBING
COASTAL
COCONUTS
DESERTS
EXOTIC
FLORIDA
HAWAII
ISLANDS
LONG

OCEAN
PALM OIL
PALMETTO
PLANT
ROUGH
SAGO
SEA
SHADE
SYMBOL
TALL

THIN
TREES
TROPICS
TRUNK
VACATION
VICTORY
WARM
WATER
WIND
WOOD

Wellness

S	T	R	O	N	G	Z	X	L	L	E	W	G	T
S	N	T	Y	K	O	M	I	N	E	R	A	L	S
E	D	I	W	T	U	R	N	N	O	D	R	F	C
N	B	C	M	I	I	I	I	B	C	E	O	I	I
T	K	A	C	A	E	N	U	M	S	X	T	B	B
I	L	L	L	T	T	S	U	T	U	E	C	E	O
F	A	O	O	A	T	I	V	M	L	R	O	R	R
C	W	R	D	R	N	F	V	H	M	C	D	E	E
F	P	I	A	E	R	C	T	T	Z	I	G	L	A
A	E	E	L	U	O	A	E	Z	L	S	Y	A	Y
T	H	E	I	E	N	I	C	I	D	E	M	X	I
S	S	T	A	M	I	N	A	P	E	E	L	S	A

AEROBICS
ATHLETIC
BALANCE
CALCIUM
CALORIE
DIET
DOCTOR
EXERCISE
FATS
FIBER

FITNESS
FRUIT
GYM
HEART
IMMUNITY
IRON
MEDICINE
MINERALS
PROTEIN
RELAX

REST
ROBUST
SELENIUM
SLEEP
STAMINA
STRONG
VITAMINS
WALK
WELL
ZINC

Circus

T	A	C	R	O	B	A	T	N	E	T	L	M	S
R	R	U	O	E	S	R	O	H	L	A	P	U	E
I	P	S	D	T	R	A	I	N	U	L	E	S	A
C	H	E	T	I	A	F	Y	S	A	P	L	I	T
K	P	M	A	S	E	M	U	T	S	O	C	C	S
J	A	I	R	N	B	N	F	N	I	Y	Y	C	A
P	U	M	I	R	U	O	C	A	N	L	C	B	E
H	T	G	N	E	R	T	S	E	E	Y	I	I	R
B	I	R	G	M	J	Z	S	G	G	S	N	G	I
Z	G	N	C	L	O	W	N	A	A	T	U	T	A
B	E	M	C	E	E	P	J	P	T	C	B	O	L
T	R	S	L	L	I	R	H	T	S	A	V	P	I

ACROBAT
ACTS
AERIAL
AGILITY
AUDIENCE
BEARS
BIG TOP
CLOWN
COSTUMES
EMCEE

FUNNY
HORSE
JUGGLER
MIMES
MUSIC
NET
PAGEANT
PEANUTS
PLATFORM
RING

SEATS
STAGE
STRENGTH
TENT
THRILL
TIGER
TRAIN
TRICK
UNICYCLE
UNUSUAL

Electric Transportation

R	N	S	P	E	E	D	K	X	T	U	B	P	S
X	A	T	O	Y	O	T	A	X	E	S	A	F	R
A	S	N	A	L	S	E	T	F	C	Y	J	K	C
D	S	T	G	U	A	W	L	U	O	Z	Y	C	Q
R	I	O	Z	E	C	R	O	T	M	L	E	U	F
I	N	R	E	W	O	P	V	U	M	R	I	R	D
V	E	Q	B	L	R	N	W	R	U	E	A	T	E
E	E	U	G	Y	L	I	R	E	T	O	O	C	S
U	R	E	N	C	H	A	R	G	E	C	L	U	I
U	G	I	O	R	V	R	M	V	O	E	I	T	G
N	Q	S	B	O	A	T	T	S	A	R	W	E	N
P	J	I	P	I	N	E	T	N	P	Q	M	T	E

BOAT
CAR
CHARGE
CLEAN
COMMUTE
COST
DESIGN
DRIVE
FUEL
FUTURE
GREEN
HYBRID
NEW
NISSAN
POWER
PRIUS
QUIET
RANGE
SCOOTER
SMALL
SOLAR
SPEED
TAXES
TESLA
TORQUE
TOYOTA
TRAIN
TRUCK
VAN
VOLT

Mustard

W	N	S	E	E	D	O	M	C	Y	N	U	P	F
D	O	O	F	N	W	O	R	B	T	L	A	S	Z
C	J	L	C	P	L	A	N	T	Y	G	N	A	T
L	I	O	L	R	G	J	T	N	E	G	N	U	P
L	D	E	Z	E	E	U	Q	S	H	O	T	C	A
L	R	U	N	L	Y	N	E	C	P	I	U	E	C
I	L	I	T	D	G	N	I	S	S	E	R	D	K
R	V	T	L	L	I	W	J	D	L	W	M	O	E
G	O	I	A	H	D	P	R	E	T	Z	E	L	T
B	M	Z	C	N	D	H	S	I	L	E	R	E	V
Q	E	L	A	Z	O	G	P	I	C	N	I	C	T
J	D	S	P	R	E	A	D	E	L	I	C	B	T

BOTTLE
BROWN
CHINESE
DELI
DIJON
DINER
DRESSING
FOOD
GLAZE
GRILL

HOT
MILD
OIL
PACKET
PICNIC
PLANT
PRETZEL
PUNGENT
RELISH
SALT

SANDWICH
SAUCE
SEED
SPREAD
SQUEEZE
SWEET
TANGY
TURMERIC
VINEGAR
YELLOW

Graduation

R	F	M	A	R	C	H	S	I	N	I	F	Z	S
E	O	F	S	P	E	E	C	H	C	A	P	R	T
G	E	B	A	G	N	E	Q	B	M	S	I	Z	S
A	J	R	E	T	R	G	N	I	T	A	E	S	E
L	M	H	G	E	S	A	L	U	H	G	E	P	U
I	S	O	M	E	G	Y	D	C	V	N	F	E	G
A	D	O	L	O	D	E	H	U	I	O	L	A	T
W	N	D	W	P	N	H	L	O	A	Y	O	K	E
Y	E	N	M	T	I	F	R	L	N	T	W	E	A
O	I	S	S	E	R	D	D	A	O	O	E	R	R
J	R	T	A	S	S	E	L	B	W	C	R	P	S
B	F	O	R	M	A	L	C	L	A	S	S	S	L

ADDRESS
CAP
CEREMONY
CHAIRS
CLASS
COLLEGE
DEGREE
DIPLOMA
FAMILY
FINISH

FLOWERS
FORMAL
FRIENDS
GOWN
GRADUATE
GUESTS
HONORS
HOOD
JOY
MARCH

REGALIA
ROBE
SEATING
SENIOR
SPEAKER
SPEECH
STAFF
STUDENTS
TASSEL
TEARS

Ride a Bike

G	W	H	E	E	L	T	C	P	E	D	A	L	S
R	O	A	D	S	S	I	L	E	I	S	U	R	E
S	P	R	I	N	T	R	X	Y	G	E	F	D	V
R	U	X	S	U	P	E	L	C	Y	C	I	B	O
A	G	P	T	F	R	S	M	R	M	N	T	X	L
E	S	N	S	C	E	U	T	L	B	A	N	H	G
G	P	O	I	D	R	A	C	R	E	L	E	O	N
L	E	S	L	N	T	S	A	F	A	H	S	R	I
R	E	K	C	B	I	K	I	N	G	F	S	N	C
C	D	F	Y	S	E	A	T	W	V	D	F	U	A
C	S	N	C	S	H	O	R	T	S	E	D	I	R
I	L	E	V	A	R	T	E	T	U	M	M	O	C

BICYCLE
BIKING
BRAKES
CARDIO
COMMUTE
CYCLISTS
EXERCISE
FAST
FITNESS
FUN

GEARS
GLOVES
GYM
HELMETS
HORN
LANCE
LEISURE
PEDALS
RACING
RIDE

ROADS
SEAT
SHORTS
SPEEDS
SPRINT
TIRES
TRAFFIC
TRAINING
TRAVEL
WHEEL

Nursing

A	E	M	S	K	C	E	H	C	L	I	N	I	C
W	S	U	E	T	L	E	R	O	T	I	N	O	M
E	H	S	C	D	O	A	T	L	F	F	G	E	S
I	I	C	I	O	I	H	T	A	U	Y	G	U	W
G	F	E	T	S	M	C	S	S	D	A	P	L	O
H	T	U	C	A	T	F	I	N	D	P	I	D	F
T	E	F	A	E	W	O	O	N	O	C	U	A	F
R	Z	L	R	H	N	I	A	R	E	K	S	T	I
A	Z	U	P	T	T	B	T	N	T	D	S	T	C
E	C	I	C	A	R	E	S	D	E	G	R	E	E
H	K	D	T	B	X	E	R	U	T	R	U	N	D
L	I	S	T	E	N	T	Q	S	E	S	O	D	K

ASSIST
ATTEND
BANDAGE
BATHE
CARE
CHECK
CLINIC
COMFORT
DEGREE
DESK

DOSES
FLUIDS
HEART
HELP
INFUSION
LICENSE
LISTEN
MEDICINE
MONITOR
NURTURE

OFFICE
PRACTICE
SHIFT
SHOTS
STATION
SUPPORT
TALK
UPDATE
WATCH
WEIGHT

Karate

V	M	S	L	O	O	H	C	S	T	L	E	B	S
K	L	T	H	Q	Q	I	N	J	U	R	Y	Z	T
A	A	R	W	O	B	L	E	P	U	N	C	H	K
T	P	I	W	S	T	A	N	C	E	S	G	A	E
A	R	K	K	G	D	O	J	O	K	U	N	N	N
J	F	I	S	N	K	L	K	K	C	G	I	D	P
L	C	N	G	I	C	Y	K	A	O	N	T	S	O
K	X	G	H	N	O	M	U	S	N	I	H	P	W
C	K	O	A	I	M	P	M	M	T	T	G	E	E
O	N	P	K	A	B	I	I	L	A	S	I	E	R
L	A	K	P	R	A	C	T	I	C	E	F	D	S
J	R	A	F	T	T	S	E	F	T	T	G	P	J

BELTS
COMBAT
CONTACT
DOJO KUN
ELBOW
FIGHTING
FILMS
HANDS
INJURY
JAPAN

KATA
KENPO
KICK
KIHON
KUMITE
LOCK
OLYMPICS
PALM
POWER
PRACTICE

PUNCH
RANK
SCHOOLS
SHOTOKAN
SPEED
STANCES
STRIKING
TESTING
TRAINING
WKF

Nails

M	H	S	E	L	Y	G	J	O	K	L	K	J	R
P	X	T	V	H	A	N	G	D	N	U	O	P	B
E	Z	H	G	U	K	T	N	G	A	L	L	O	T
R	I	W	G	N	O	I	S	E	H	D	A	I	T
L	F	E	B	N	E	S	L	D	P	R	T	N	H
X	F	R	Q	L	I	R	Y	M	D	A	E	T	C
T	A	C	K	U	E	F	T	A	V	H	M	R	D
D	H	S	X	M	E	I	O	S	Z	T	X	X	O
S	D	I	M	B	B	N	N	O	T	S	U	R	O
R	F	A	N	E	O	I	C	N	R	E	R	I	W
M	H	I	N	R	O	S	V	R	D	A	E	H	S
J	P	T	I	J	T	H	W	Y	W	A	L	L	L

ADHESION
BENT
BOARD
BRAD
FINISH
GAUGE
HAMMER
HANG
HARD
HEAD

IRON
JOIN
LUMBER
MASONRY
METAL
PENNY
PIN
POINT
POUND
ROOFING

RUST
SCREW
STEEL
STRENGTH
TACK
THIN
TOOL
WALL
WIRE
WOOD

Making Beer

G	R	I	S	T	R	A	T	L	A	G	E	R	C
U	E	E	N	O	V	B	A	R	L	E	Y	E	Q
J	B	T	C	X	O	R	W	G	E	K	R	T	S
A	M	S	K	I	T	F	E	R	M	E	N	T	R
O	A	A	T	D	P	N	N	A	A	G	E	I	E
M	Y	T	F	I	I	E	Z	I	R	D	H	B	T
B	E	B	A	Z	K	H	Y	N	A	E	V	T	A
R	O	A	R	E	Z	W	M	M	C	A	S	K	W
B	U	I	D	D	S	T	E	E	P	I	N	G	F
B	T	O	L	L	E	M	S	R	E	P	P	O	C
H	O	P	S	T	O	U	T	P	B	K	V	C	S
G	P	A	N	H	C	T	A	B	S	W	E	E	T

AMBER
BARLEY
BATCH
BITTER
BOIL
BREW KIT
CARAMEL
CASK
COPPER
DRAFT
ENZYMES
FERMENT
GRAIN
GRIST
HOMEMADE
HOPS
KEG
LAGER
MEAD
OXIDIZED
POT
RECIPE
SMELL
SOUR
STEEPING
STOUT
SWEET
TART
TASTE
WATER

Storage

U	S	O	H	P	Z	Y	G	N	I	T	R	O	S
C	E	L	L	A	R	B	P	A	C	K	A	G	E
K	L	H	R	C	O	B	W	E	B	S	V	S	H
N	I	O	M	K	V	U	N	P	D	X	I	K	T
U	F	L	E	I	E	C	K	N	U	R	T	C	O
J	D	D	N	N	R	S	E	A	S	O	N	A	L
P	I	I	S	G	H	C	L	U	T	T	E	R	C
H	Y	N	V	O	E	C	I	F	F	O	M	H	I
E	I	G	Y	I	A	N	T	I	Q	U	E	S	T
B	K	C	O	L	D	A	P	W	O	T	S	A	T
B	O	X	E	S	R	E	W	A	R	D	A	T	A
M	O	V	I	N	G	A	R	A	G	E	B	S	R

ANTIQUES
ATTIC
BASEMENT
BINS
BOXES
CELLAR
CLOTHES
CLUTTER
COBWEBS
CUBBY
DIVIDER
DRAWERS
DUST
FILES
GARAGE
HIDE
HOLDING
JUNK
MOVING
OFFICE
OVERHEAD
PACKAGE
PACKING
PADLOCK
RACKS
SEASONAL
SORTING
STASH
STOW
TRUNK

Humanity

N	M	I	N	D	N	A	N	A	T	O	M	Y	S
O	T	I	R	I	P	S	H	H	E	A	D	T	P
S	M	R	A	R	E	L	I	G	I	O	N	H	E
R	D	R	L	I	H	N	A	L	P	I	D	G	E
E	B	E	C	D	K	U	E	R	U	T	L	U	C
P	G	E	C	I	G	M	I	B	E	O	O	O	H
S	P	Y	N	N	O	M	H	I	F	D	S	H	R
S	Y	G	A	R	A	A	D	P	I	V	N	T	D
V	Z	L	T	T	I	V	N	E	L	A	M	E	F
H	T	A	E	R	B	N	D	D	L	I	H	C	G
B	L	S	D	N	I	K	N	A	M	L	R	I	G
H	H	B	A	N	I	M	A	L	H	T	R	A	E

ADVANCED
ANATOMY
ANIMAL
ARMS
BIPEDAL
BRAIN
BREATH
CHILD
CULTURE
EARTH
FEMALE
GENDER
GIRL
HAIR
HEAD
LANGUAGE
LEGS
LIFE
MANKIND
MIND
MORTAL
PERSON
PRIMATES
RELIGION
SOUL
SPECIES
SPEECH
SPIRIT
THINKING
THOUGHT

Pails

T	O	M	W	L	S	O	D	P	C	W	A	S	X
W	V	O	M	N	L	I	H	C	B	M	G	S	W
K	O	P	G	S	L	E	A	K	Y	A	T	R	D
D	Y	I	L	A	T	R	W	C	A	E	I	N	M
J	V	U	I	B	R	O	N	Z	E	N	N	L	E
D	A	T	O	Y	R	D	R	L	G	O	N	T	T
V	E	S	S	E	L	K	E	E	A	L	Y	R	A
S	H	P	T	O	Y	L	R	N	B	L	X	A	L
L	I	A	P	Z	P	I	A	L	R	A	V	U	U
O	W	M	U	N	I	M	U	L	A	G	N	Q	A
P	D	N	A	S	C	O	O	P	G	C	U	D	H
T	M	I	J	Q	B	E	A	C	H	H	W	Z	P

ALUMINUM
BAIL
BEACH
BRONZE
CARRY
COMPOST
GALLON
GARBAGE
GARDEN
HAUL
HEAVY
LEAKY
LID
LUNCH
METAL
MILK
MOP
PAIL
QUART
SAND
SCOOP
SLOP
SOIL
STEEL
STORE
VESSEL
WATER
WELL
WOOD
WRINGER

Feet

L	V	R	V	E	I	N	S	O	B	K	L	A	W
B	L	S	C	T	O	O	F	E	R	O	F	T	P
F	L	N	R	N	H	O	E	S	K	C	O	S	A
T	A	E	E	E	R	U	C	I	D	E	P	T	W
D	B	A	D	M	P	J	J	W	N	O	C	R	S
G	A	K	N	A	S	P	O	O	D	A	H	A	H
J	R	E	A	G	A	L	I	I	L	L	C	W	O
T	K	R	W	I	Q	N	A	L	N	E	T	V	E
E	C	S	N	L	U	T	U	D	S	T	E	L	S
H	I	O	V	B	R	S	N	D	N	U	R	H	K
A	K	R	W	Y	K	N	I	T	S	A	T	V	C
L	R	E	Y	T	J	U	M	P	E	T	S	N	I

ARCH
BALL
BOOTS
BUNION
CALLUS
DANCE
FOREFOOT
HEEL
INSTEP
JOINT
JUMP
KICK
LIGAMENT
PAIN
PAWS
PEDICURE
PODIATRY
SANDALS
SHOES
SLIPPERS
SNEAKERS
SOCKS
SORE
STINKY
STRETCH
TWO
VEINS
WALK
WANDER
WARTS

Grocery Purchases

M	A	C	A	R	O	N	I	Q	P	X	U	R	D
I	B	R	E	P	I	J	C	O	F	F	E	E	C
L	A	A	N	C	U	C	T	T	R	U	G	O	Y
K	C	C	N	I	U	A	E	B	R	U	O	L	F
A	O	K	C	A	T	T	N	A	P	K	I	N	S
T	N	E	H	O	N	W	T	C	I	T	F	Y	N
L	M	R	E	N	W	A	R	E	T	T	U	B	O
A	J	S	E	F	B	P	S	R	L	M	F	O	I
S	W	C	S	R	Y	P	R	E	P	P	E	P	N
U	N	G	E	U	I	L	V	A	K	O	E	A	O
R	G	A	P	I	J	E	L	L	Y	R	B	H	T
E	D	X	C	T	H	S	I	F	C	K	P	F	S

APPLES
BACON
BANANAS
BEEF
BREAD
BUTTER
CANS
CEREAL
CHEESE
COFFEE
COOKIES
CRACKERS
EGGS
FISH
FLOUR
FRUIT
JELLY
JUICE
LETTUCE
MACARONI
MEAT
MILK
NAPKINS
ONIONS
PEPPER
PORK
POTATOES
RICE
SALT
YOGURT

Home Sweet Home

P	P	F	A	A	B	O	D	E	S	K	V	N	U
U	E	I	A	L	Y	A	W	L	L	A	H	I	D
P	E	Q	E	M	W	X	S	N	C	D	S	B	O
E	L	A	G	N	I	L	L	E	W	D	W	A	O
R	S	M	L	B	L	L	G	H	M	R	O	C	R
E	O	R	X	S	R	G	Y	C	O	E	D	O	A
S	L	O	E	C	T	I	N	T	R	S	N	T	L
L	E	C	L	L	I	U	C	I	T	S	I	T	U
L	C	E	P	F	I	T	H	K	G	T	W	A	D
A	A	D	U	F	L	A	T	Q	A	D	N	G	O
W	O	O	D	E	G	A	R	A	G	V	O	E	M
R	O	O	M	S	H	E	L	T	E	R	H	L	R

ABODE
ADDRESS
ATTIC
BASEMENT
BRICK
CABIN
COTTAGE
DECOR
DOOR
DUPLEX
DWELLING
FAMILY
FLAT
FLOOR
GARAGE
HALLWAY
HUTS
KITCHEN
LEASE
LODGING
MODULAR
MORTGAGE
RENT
ROOMS
SHELTER
SLEEP
TRAILER
WALLS
WINDOWS
WOOD

Very Good

R	L	E	H	E	N	D	O	R	S	E	F	M	K
S	T	R	O	N	G	R	E	P	U	S	M	R	I
M	A	E	I	G	E	N	E	R	O	U	S	A	N
A	W	C	H	E	E	R	F	U	L	O	M	W	D
R	E	N	C	M	T	E	J	H	U	E	I	A	P
T	S	I	A	O	I	S	G	O	B	G	A	M	P
E	O	S	H	S	L	U	O	M	A	R	L	A	R
E	M	E	D	D	O	A	O	A	F	O	C	Z	E
W	E	X	V	N	P	L	D	G	I	G	C	I	T
S	G	R	E	A	T	P	L	E	A	S	A	N	T
R	O	N	O	H	R	P	S	U	I	N	E	G	Y
D	E	T	N	E	L	A	T	R	I	B	U	T	E

ACCLAIM	GOOD	PRETTY
ACCOLADE	GORGEOUS	RAVE
AMAZING	GREAT	SINCERE
APPLAUSE	HANDSOME	SMART
AWESOME	HOMAGE	STRONG
CHEERFUL	HONOR	SUPER
ENDORSE	KIND	SWEET
FABULOUS	NICE	TALENTED
GENEROUS	PLEASANT	TRIBUTE
GENIUS	POLITE	WARM

Beetles

P	W	I	N	G	S	E	G	X	J	P	E	F	T
B	A	R	A	C	S	S	S	U	R	O	U	N	D
H	T	V	H	T	T	R	N	E	M	O	D	B	A
E	E	A	N	R	E	E	D	U	N	G	V	P	D
A	R	A	O	C	R	A	W	L	I	N	G	U	L
D	L	N	N	B	T	N	R	O	H	G	N	O	L
P	G	I	U	O	T	N	E	I	C	N	A	R	A
E	P	M	R	S	P	E	C	I	E	S	S	G	M
G	L	A	R	V	A	T	R	E	E	S	T	P	S
G	E	L	P	Q	I	N	S	E	C	T	S	A	J
S	G	U	B	Y	D	A	L	I	V	E	E	W	E
S	S	H	G	D	V	O	M	U	R	L	P	Z	P

ABDOMEN
ANCIENT
ANIMAL
ANTENNAE
CRAWLING
DUNG
EAT
EGGS
GROUP
HARD
HEAD
INSECTS
JUNE
LADYBUGS
LARVA
LEGS
LONGHORN
PESTS
PINCERS
PLANTS
PREDATOR
ROUND
SCARAB
SMALL
SPECIES
STRONG
TREES
WATER
WEEVIL
WINGS

Hospitals

E	J	R	M	R	I	A	P	E	R	E	S	T	J
E	E	S	R	U	N	T	Y	A	O	B	E	D	K
S	S	T	F	P	Q	S	R	O	T	I	S	I	V
U	C	O	A	A	O	B	E	T	I	I	N	L	J
R	E	L	N	C	M	S	V	E	N	R	E	L	Y
G	A	T	E	G	I	I	I	S	O	E	E	N	A
E	R	I	A	A	A	D	L	T	M	C	D	E	T
O	O	M	I	R	N	I	E	Y	I	O	L	S	S
N	T	D	N	M	E	N	D	M	Z	V	E	S	L
Y	C	A	V	I	R	P	W	B	K	E	E	C	A
H	O	U	R	S	F	L	O	W	E	R	S	A	E
C	D	M	O	O	R	D	E	R	L	Y	K	N	M

ADMIT
BED
CLEAN
DELIVERY
DIAGNOSE
DOCTOR
FAMILY
FLOWERS
HOURS
ILLNESS
MEALS
MEDICATE
MEND
MONITOR
NEEDLE
NURSE
OPERATE
ORDERLY
PATIENT
POSITIVE
PRIVACY
RECOVERY
REPAIR
REST
ROOM
SCAN
STAY
SURGEON
TEST
VISITORS

Cheerleading

V	E	W	S	K	Y	P	P	E	P	S	J	E	H
S	G	U	E	C	F	J	B	Y	M	S	R	F	D
T	S	N	N	I	O	A	O	I	R	H	D	W	S
W	M	P	I	K	O	U	L	E	Y	A	O	N	Q
C	R	H	T	L	T	E	N	T	N	R	M	S	U
O	O	Y	U	G	B	N	H	C	C	J	W	I	A
L	F	S	O	G	A	M	E	O	H	E	U	D	D
L	I	I	R	B	L	I	U	N	A	R	M	M	S
E	N	C	Y	E	L	L	S	T	N	E	V	E	P
G	U	A	S	C	O	R	E	E	T	E	A	M	I
E	Y	L	L	A	R	R	A	S	C	H	O	O	L
R	S	S	V	A	R	S	I	T	Y	C	O	W	F

BANNERS
CHANT
CHEER
COLLEGE
CONTEST
CROWD
DANCE
EVENTS
FLIPS
FOOTBALL
GAME
JUMP
KICK
OUTGOING
PEPPY
PHYSICAL
PYRAMID
RALLY
RHYTHM
ROUTINES
SCHOOL
SCORE
SMILE
SQUAD
SWEATER
TEAM
TUMBLING
UNIFORMS
VARSITY
YELL

Pennsylvania

Q	Q	H	S	I	M	A	Y	T	R	E	B	I	L
Z	U	E	A	G	L	E	S	E	K	F	O	O	Z
L	A	O	C	O	H	D	P	U	E	O	S	N	F
O	K	O	Y	S	S	E	R	G	N	O	C	P	L
N	E	A	R	E	N	K	E	A	O	T	R	I	Y
O	R	E	O	I	A	I	T	L	T	B	A	R	E
C	H	A	T	L	I	P	Z	F	S	A	N	A	R
O	C	S	S	L	D	N	E	L	Y	L	T	T	S
P	T	T	I	I	N	R	L	C	E	L	O	E	C
Q	U	P	H	H	I	U	S	I	K	E	N	S	O
X	D	T	I	P	E	T	A	T	S	L	T	G	L
E	I	R	E	F	U	C	S	Y	W	O	N	S	D

AMISH
CITY
COAL
COLD
CONGRESS
CRAYOLA
DUTCH
EAGLES
EAST
ERIE
FLAG
FLYERS
FOOTBALL
HERSHEY
HISTORY
INDIANS
KEYSTONE
LIBERTY
PHILLIES
PIRATES
POCONO
PRETZELS
QUAKER
SCRANTON
SNOW
STATE
STEEL
TURNPIKE
USA
ZOO

Computer Files

S	I	Z	E	N	L	T	R	A	N	S	F	E	R
B	M	V	A	R	C	H	I	V	E	M	H	R	Y
N	A	M	V	S	S	E	C	C	A	D	P	A	D
S	E	C	T	N	E	M	U	C	O	D	T	H	U
S	H	W	K	V	E	R	O	W	F	A	H	S	Y
G	T	O	I	U	I	M	N	H	D	W	D	Q	P
H	I	R	B	T	P	L	A	C	V	I	D	E	O
I	D	D	Y	U	O	T	Y	R	A	N	I	B	C
D	E	A	T	A	T	D	X	A	G	D	I	S	C
D	J	E	D	E	L	E	T	E	R	O	T	S	A
E	R	A	W	T	F	O	S	S	T	W	R	U	S
N	E	P	O	F	F	T	A	P	W	S	F	P	Q

ACCESS
ARCHIVE
BACKUP
BINARY
COMPUTER
COPY
DATA
DELETE
DISC
DOCUMENT

DOWNLOAD
DRIVE
EDIT
HIDDEN
NAME
OPEN
PDF
PROGRAM
SAVE
SEARCH

SECURITY
SHARE
SIZE
SOFTWARE
STORE
TEXT
TRANSFER
VIDEO
WINDOWS
WORD

Julia Child

P	R	D	W	M	L	I	F	D	S	A	M	A	B
U	J	S	I	F	K	R	A	F	A	M	O	U	S
B	R	T	O	N	A	I	R	R	C	A	V	U	I
L	D	O	Q	N	N	I	T	E	I	R	I	Y	R
I	D	V	C	E	S	E	U	C	X	R	E	R	A
C	U	E	M	L	M	Z	R	I	H	I	W	A	P
O	U	O	N	R	A	T	L	P	W	E	I	L	B
V	W	L	U	U	R	S	V	E	O	D	N	U	S
E	O	O	T	L	G	S	S	S	M	T	E	P	P
N	G	I	L	U	O	N	T	I	H	M	S	O	X
W	N	A	C	I	R	E	M	A	C	O	Y	P	S
A	T	X	I	E	P	E	G	K	R	N	W	O	R

AMERICAN
ART
CLASSIC
CULTURE
DINNER
EMMY
FAMOUS
FILM
FOOD
FRANCE
GOURMET
KITCHEN
MARRIED
MOVIE
OVEN
PARIS
PBS
POPULAR
POTS
PROGRAMS
PUBLIC
RECIPES
SPY
STAR
STOVE
TALL
TV SHOW
VOICE
WINE
WOMEN

Going Through Security

L	J	R	E	C	I	L	O	P	N	H	N	R	B
I	I	A	S	M	E	T	A	L	D	H	T	E	L
A	V	N	N	A	D	O	M	E	S	T	I	C	W
J	N	D	E	E	F	G	T	V	D	R	C	I	B
S	V	O	C	S	D	E	I	A	I	O	K	F	A
T	P	M	I	S	C	D	S	R	U	P	E	F	G
A	I	R	L	T	C	U	I	T	Q	R	T	O	S
M	O	M	O	D	S	A	S	H	I	I	S	B	E
P	X	R	R	T	N	E	N	T	L	A	V	N	A
W	G	A	T	E	E	A	U	B	O	R	D	E	R
U	U	W	A	L	P	C	W	Q	C	M	Z	L	C
G	O	D	P	K	D	E	T	A	I	N	S	T	H

AIRPORT
BAGS
BORDER
CUSTOMS
DETAIN
DETECTOR
DOMESTIC
GATE
GUARD
HIDDEN

JAIL
LAW
LICENSE
LINES
LIQUIDS
METAL
OFFICER
PATROL
PERMIT
POLICE

PROTECT
QUESTION
RANDOM
SAFE
SCAN
SEARCH
STAMP
TICKETS
TRAVEL
WAND

Product Packaging

T	W	E	I	G	H	T	N	I	R	P	A	R	W
H	E	M	O	T	L	A	P	R	O	T	E	C	T
V	X	X	R	J	C	I	U	C	D	T	Y	A	C
P	M	A	T	E	R	I	A	L	I	A	S	Y	U
E	R	N	G	I	S	E	D	M	L	E	X	T	D
G	E	N	I	H	C	A	M	P	C	O	E	E	O
A	K	S	S	E	N	I	S	U	B	W	L	F	R
R	C	G	L	X	W	I	R	E	S	I	A	A	P
O	I	P	A	D	D	I	N	G	G	N	S	S	I
T	T	F	B	B	T	Y	N	A	P	M	O	C	H
S	S	T	E	Y	P	C	R	H	Y	X	B	C	S
M	E	U	L	G	W	F	R	E	T	A	I	L	K

ART
BAG
BOX
BUSINESS
CAN
COMPANY
CONSUMER
DESIGN
DISPLAY
FRAGILE
GLUE
LABEL
LID
MACHINE
MAIL
MATERIAL
PADDING
PRINT
PRODUCT
PROTECT
RETAIL
SAFETY
SALE
SECURITY
SHIP
STICKER
STORAGE
TEXT
WEIGHT
WRAP

The Arctic

A	Z	A	B	S	T	O	R	M	Q	Z	A	D	L
E	J	F	S	E	H	F	T	X	L	C	L	Y	E
C	E	P	S	E	A	I	D	O	D	O	C	Z	C
I	I	P	X	M	Z	R	P	S	C	N	E	A	W
G	L	U	W	H	A	L	E	S	H	E	I	H	A
L	J	F	I	Z	F	M	O	I	R	R	A	W	L
O	R	F	Z	T	T	R	M	F	C	R	U	N	R
O	M	I	K	S	E	X	I	O	E	A	Q	B	U
N	L	N	O	A	T	N	S	G	T	B	L	Z	S
B	B	R	C	L	I	Y	L	L	I	H	C	G	J
I	F	R	X	B	H	L	F	A	R	D	N	U	T
F	O	X	U	O	W	L	E	J	B	U	C	E	L

BARREN
BEAR
BLAST
BLIZZARD
CHILLY
COLD
ESKIMO
FOX
FREEZE
FRIGID
FROST
GLACIER
HARE
ICE
IGLOO
LYNX
MAMMOTH
OCEAN
ORCA
OWL
PUFFIN
SEA
SHIPS
SHRUBS
STORM
TUNDRA
WALRUS
WHALES
WHITE
WIND

Parades

S	B	N	M	C	O	P	P	O	N	I	E	S	G
W	A	G	O	N	O	M	I	L	T	K	C	L	A
W	N	H	O	L	I	D	A	Y	B	I	O	A	L
L	D	I	I	B	A	L	L	O	O	N	S	M	F
R	S	C	S	N	C	O	N	F	E	T	T	I	B
E	E	O	C	R	R	H	O	R	S	E	U	N	H
S	C	E	L	A	E	A	D	O	O	F	M	A	C
K	R	L	K	D	C	L	O	W	N	S	E	H	R
S	O	P	H	I	I	F	I	R	E	M	E	N	A
A	W	O	M	H	B	E	W	A	V	E	D	W	M
M	D	E	C	Y	P	F	R	T	R	U	C	K	S
Y	J	P	L	I	G	H	T	S	A	T	N	A	S

ANIMALS
BALLOONS
BAND
BIKE
CHEER
CHILDREN
CLOWNS
CONFETTI
COSTUME
CROWD

DANCERS
FIREMEN
FLAG
FOOD
HOLIDAY
HORSE
LIGHTS
LIMO
MARCH
MASKS

NOISE
PEOPLE
POLICE
PONIES
SANTA
SOLDIERS
TRAILERS
TRUCKS
WAGON
WAVE

Energy

F	U	S	I	O	N	H	R	E	W	O	P	C	B
S	Q	Y	L	W	Z	S	O	U	N	D	G	E	T
S	E	U	R	A	E	L	C	U	N	A	Z	N	G
M	A	G	N	E	T	I	C	I	S	N	O	I	L
D	W	M	R	T	T	I	R	I	S	P	I	G	D
E	O	S	O	A	R	T	V	E	M	Y	E	N	K
R	R	Q	E	T	H	A	A	C	T	A	H	E	G
O	K	H	C	F	I	C	N	B	O	A	N	P	D
T	N	E	M	E	V	O	M	S	I	A	W	Y	R
S	L	A	R	U	T	A	N	E	F	I	L	E	D
E	N	I	B	R	U	T	G	N	E	E	R	G	O
S	O	L	A	R	T	N	A	I	D	A	R	G	U

BATTERY
CHARGES
COAL
DYNAMIC
ELECTRIC
ENGINE
FUSION
GAS
GREEN
HEAT

LIFE
MAGNETIC
MOTION
MOVEMENT
NATURAL
NUCLEAR
OIL
PHYSICS
POWER
RADIANT

RUNNING
SOLAR
SOUND
SPEED
STORED
TRANSFER
TURBINE
VITAL
WATER
WORK

Parking Spots

Z	T	D	S	N	R	E	P	C	Y	C	F	A	F
R	O	V	H	G	P	H	S	H	N	L	L	E	L
E	L	I	L	I	K	X	O	J	D	I	J	K	E
T	L	L	S	S	U	B	V	M	M	S	P	B	L
E	A	G	O	E	A	S	L	I	N	E	S	E	L
M	R	K	N	T	P	V	T	R	O	P	R	I	A
O	G	A	R	A	G	E	O	U	T	D	O	O	R
T	N	Q	C	R	D	H	F	A	R	Z	Q	V	A
O	I	E	M	F	T	I	M	R	E	P	I	A	P
R	W	U	Y	T	I	C	O	I	E	R	Q	L	O
R	O	A	D	C	I	L	B	U	P	E	A	E	T
P	T	S	T	R	E	E	T	E	K	C	I	T	S

AIRPORT
ANGLE
AREA
BUS
CAR
CITY
FEE
FREE
GARAGE
LIMITED

LINES
LOT
MALL
METER
MOTOR
OUTDOOR
PARALLEL
PERMIT
PUBLIC
RATES

ROAD
SIGN
SPACE
STOP
STREET
TICKET
TOLL
TOWING
VALET
VEHICLE

Playing Marbles

D	K	E	T	T	C	H	Y	C	Q	C	E	H	E
S	P	A	O	G	D	L	T	R	A	B	I	D	K
Y	X	G	Y	E	U	E	A	T	E	T	A	G	A
S	N	G	S	N	K	K	S	Y	P	G	S	C	T
I	J	I	R	C	L	E	E	C	T	H	N	H	E
F	G	E	O	O	Y	L	I	E	O	R	L	I	G
N	L	P	L	E	L	R	S	O	P	O	I	L	R
B	R	I	O	A	C	L	T	T	S	S	K	D	A
S	I	W	C	L	K	E	I	E	E	T	I	R	T
I	W	H	E	K	R	O	U	N	D	E	O	E	R
Z	S	C	X	O	S	V	Q	E	G	G	L	N	S
E	D	A	R	T	H	U	M	B	A	L	L	O	E

AGATE
AGGIE
ALLEY
BALL
CATSEYE
CHILDREN
CIRCLE
CLAY
COLORS
DESIGN

DIRT
FLICK
HIT
KEEPSIES
LOSE
POCKET
QUITSIES
RINGER
ROLLING
ROUND

SHOOTER
SIZE
STEEL
STONE
SWIRL
TAKE
TARGET
THUMB
TOYS
TRADE

Maple Syrup

S	I	W	O	O	D	S	Q	U	E	B	E	C	E
P	O	U	R	Y	S	T	E	K	C	U	B	A	T
R	E	B	M	A	I	N	E	K	P	S	W	N	S
I	H	O	M	N	A	T	U	R	A	L	W	A	A
N	B	I	N	W	O	R	B	G	S	C	I	D	T
G	M	L	B	P	W	V	H	R	E	U	N	I	A
I	N	E	P	I	C	E	R	A	E	Q	T	A	P
I	L	I	Q	U	I	D	R	D	R	N	E	N	P
P	N	S	K	S	N	O	W	E	T	V	R	T	I
G	R	O	V	A	L	F	S	S	U	D	E	W	N
E	L	T	T	O	B	M	J	P	U	R	Y	S	G
T	H	I	C	K	R	A	D	J	M	R	A	W	T

AMBER
BAKING
BOIL
BOTTLE
BROWN
BUCKETS
CANADIAN
COLOR
DARK
FLAVOR
GRADES
HARVEST
LIQUID
MAINE
NATURAL
PANCAKES
POUR
QUEBEC
RECIPE
SNOW
SPRING
SYRUP
TAPPING
TASTE
THICK
TOPPING
TREE SAP
WARM
WINTER
WOODS

Fog

W	E	R	O	P	A	V	F	L	S	A	M	N	R
O	M	S	E	W	A	I	R	S	T	E	O	H	I
R	I	Y	H	L	A	F	R	E	E	Z	I	N	G
A	S	I	L	W	Z	K	D	W	L	A	S	U	O
S	T	E	A	M	Z	Z	E	L	P	H	T	J	M
E	Y	T	B	B	G	T	I	G	O	B	W	L	S
M	E	S	R	W	Y	F	H	R	R	C	R	R	C
R	C	O	A	S	T	V	B	I	D	O	H	E	L
A	Q	E	N	I	H	C	A	M	C	R	U	T	O
W	D	U	N	Y	C	U	L	E	M	K	M	N	U
T	H	G	I	N	K	R	A	D	H	C	I	I	D
I	J	D	Q	D	X	N	H	C	W	E	D	W	K

AIR
CLOUD
COAST
COLD
DARK
DEW
DRIZZLE
DROPLETS
FREEZING
GROUND
HAZE
HEAVY
HUMID
LIFTING
MACHINE
MIST
MOIST
NIGHT
OCEAN
SEA
SMOG
STEAM
THICK
VALLEY
VAPOR
WARM
WATER
WET
WHITE
WINTER

Secondhand Store

S	T	E	K	N	A	L	B	O	O	K	S	L	S
S	R	K	U	E	M	U	T	A	B	L	E	K	L
E	I	S	H	O	E	S	M	I	R	R	O	R	C
R	C	C	H	E	A	P	Y	B	B	A	H	S	L
D	Y	M	O	V	I	E	S	O	R	T	E	R	Y
C	C	I	M	O	U	T	D	A	T	E	D	R	D
S	L	I	S	N	E	T	U	Y	K	O	L	D	E
L	E	O	X	B	I	C	Y	C	L	E	E	L	Y
A	R	T	T	R	I	K	S	O	W	M	N	N	A
M	R	I	A	H	C	A	R	E	T	S	O	P	R
P	L	A	N	T	E	R	J	F	L	E	H	S	F
S	T	O	P	C	O	S	T	U	M	E	P	P	A

ART
BICYCLE
BLANKETS
BOOKS
CHAIR
CHEAP
CLOTHES
COSTUME
DRESS
FRAYED
JEWELRY
KEEPSAKE
LAMPS
MIRROR
MOVIES
OLD
OUTDATED
PHONE
PLANTER
POSTER
POTS
RETRO
SHABBY
SHELF
SHOES
SKIRT
TABLE
TRICYCLE
UMBRELLA
UTENSILS

It's a Secret

D	I	A	R	Y	I	M	G	J	R	T	S	Q	T
S	N	E	A	K	Y	N	E	D	E	E	H	U	R
G	D	S	V	W	I	A	E	S	P	L	A	I	U
N	N	O	A	T	L	H	S	R	S	L	M	E	S
I	O	L	I	O	S	H	I	B	I	A	E	T	T
L	B	C	U	U	R	V	R	E	H	E	G	C	F
E	X	S	H	O	A	C	P	D	W	V	M	E	R
E	Y	I	U	T	O	E	R	I	L	E	A	T	O
F	W	D	E	V	E	Z	U	F	W	R	E	O	M
D	E	N	E	K	O	P	S	N	U	C	R	R	U
D	O	R	E	G	R	E	T	O	N	E	D	P	R
C	T	L	I	T	T	L	E	C	R	U	S	H	W

BOND
CONFIDE
COVERT
CRUSH
DIARY
DISCLOSE
DREAM
EXCITING
FEAR
FEELINGS
HUSHED
JEALOUSY
KEEP
LITTLE
MESSAGE
NOTE
PRIVATE
PROTECT
QUIET
REGRET
REVEAL
RUMOR
SHAME
SHROUDED
SNEAKY
SURPRISE
TELL
TRUST
UNSPOKEN
WHISPER

Modeling

P	J	M	O	N	E	Y	S	E	S	R	I	C	H
R	A	A	H	X	N	U	K	T	T	N	E	G	A
E	R	K	A	N	C	D	Y	D	O	B	O	N	J
T	T	D	I	S	P	L	A	Y	N	L	E	U	P
T	I	K	R	B	E	W	O	O	A	W	I	O	R
Y	S	W	I	M	S	U	I	T	Y	H	R	Y	I
A	T	P	S	N	L	H	A	O	H	E	E	Z	N
W	R	U	U	U	S	C	R	W	E	I	G	H	T
N	A	E	A	A	O	K	P	O	S	I	N	G	A
U	V	K	F	E	E	M	I	L	A	N	I	G	L
R	E	A	B	F	B	C	A	T	W	A	L	K	L
F	L	M	E	L	A	M	E	F	S	W	O	H	S

AGENT
ARTIST
BEAUTY
BODY
CATALOG
CATWALK
CLOTHING
DISPLAY
FAMOUS
FASHION
FEMALE
HAIR
LINGERIE
MAKEUP
MILAN
MONEY
NEW YORK
POSING
PRETTY
PRINT
RICH
RUNWAY
SHOWS
SKINNY
STYLE
SWIMSUIT
TALL
TRAVEL
WEIGHT
YOUNG

Jimmy Buffett

Y	C	A	L	I	U	Q	E	T	R	O	C	K	Q
G	N	I	G	N	I	S	L	M	D	N	A	B	A
U	M	I	A	M	I	A	L	A	B	A	M	A	N
I	U	D	O	D	C	S	T	E	K	C	I	T	U
T	I	N	A	I	C	I	S	U	M	L	H	R	F
A	C	R	P	S	T	R	E	C	N	O	C	L	C
R	A	O	C	L	T	Q	W	Y	O	V	O	E	C
P	R	L	U	A	S	R	Y	T	I	R	A	H	C
T	P	I	S	N	I	F	E	P	I	R	A	T	E
S	N	A	F	D	T	W	K	D	R	U	O	T	N
T	E	S	B	S	R	R	A	L	U	P	O	P	U
R	O	H	T	U	A	I	Y	A	L	B	U	M	S

ALABAMA
ALBUMS
ARTIST
AUTHOR
BAND
CHARITY
CONCERTS
COUNTRY
FANS
FINS
FLORIDA
FUN
GUITAR
HOOT
ISLANDS
KEY WEST
MIAMI
MUSICIAN
PARADISE
PIRATE
POPULAR
ROCK
SAILOR
SINGING
SUN
TEQUILA
TICKETS
TOUR
TROPICAL
VOLCANO

Boxing

S	E	G	D	U	J	B	R	E	N	R	O	C	T
C	G	N	I	R	R	T	L	E	B	V	R	U	S
O	L	A	M	A	T	E	U	R	S	J	O	T	C
U	O	S	W	P	F	E	P	E	T	B	P	M	R
N	V	L	E	U	O	M	P	F	R	P	E	A	O
T	E	U	D	G	O	A	E	E	I	U	S	N	S
R	S	G	H	I	T	X	R	R	K	N	T	K	S
A	D	G	X	L	W	B	C	R	I	C	S	O	T
I	N	E	Z	I	O	A	U	S	N	H	I	O	A
N	U	R	D	S	R	E	T	H	G	I	F	H	N
E	O	K	T	M	K	R	G	H	C	N	I	L	C
R	R	Z	B	B	O	B	B	I	N	G	Q	J	E

AMATEUR
BELT
BOBBING
BOUT
BRAWLER
CLINCH
CORNER
COUNT
CROSS
CUTMAN
FIGHTERS
FISTS
FOOTWORK
GLOVES
HIT
HOOK
JUDGES
MAX BAER
PUGILISM
PUNCHING
REFEREE
RING
ROPES
ROUNDS
SLUGGER
STANCE
STRIKING
TKO
TRAINER
UPPERCUT

Tall Buildings

W	L	E	E	T	S	E	L	L	A	T	D	A	W
C	P	C	N	H	N	W	E	I	V	A	S	H	K
I	D	E	S	I	G	N	D	L	S	R	O	O	F
T	O	L	L	G	S	B	E	A	M	S	T	T	C
I	Y	Y	T	H	A	U	F	D	S	S	A	E	T
E	K	G	A	R	N	S	L	O	W	E	E	L	E
S	O	I	I	I	O	I	O	R	O	I	F	O	G
K	T	B	P	S	R	N	O	E	D	R	E	B	R
R	S	A	E	E	T	E	R	C	N	O	C	B	A
O	F	F	I	C	E	S	S	O	I	T	A	Y	L
W	A	M	V	R	P	S	C	R	W	S	P	G	M
T	O	W	E	R	S	W	C	D	F	W	S	B	Q

BEAMS
BIG
BUSINESS
CITIES
CONCRETE
COST
DESIGN
FEAT
FLOORS
GLASS
HIGHRISE
HOTEL
LARGE
LOBBY
OFFICE
PETRONAS
RECORD
ROOF
SKYLINE
SPACE
STAIRS
STEEL
STORIES
TAIPEI
TALLEST
TOKYO
TOWERS
VIEW
WINDOWS
WORK

Things to Do

K	L	A	T	V	N	A	Y	U	H	O	R	J	C
T	W	I	S	C	H	E	D	U	L	E	U	N	F
I	C	I	S	U	M	M	S	E	L	Z	Z	U	P
S	K	S	A	T	O	L	A	C	I	S	Y	H	P
I	W	S	Y	V	R	R	S	T	R	O	P	S	L
V	B	U	I	L	N	E	S	N	O	I	T	C	A
M	E	E	I	I	I	E	T	D	T	G	X	L	N
C	Y	H	N	D	N	M	E	C	N	A	D	E	N
O	Z	G	U	I	G	I	A	I	H	E	H	A	I
O	U	T	I	N	G	T	T	F	H	X	I	N	N
K	S	K	O	O	B	A	B	M	U	Z	H	R	G
K	V	S	J	W	D	I	N	E	M	A	G	L	F

ACTIONS
BOOKS
CLEAN
COOK
DANCE
DATING
DINE
FAMILY
FRIENDS
GAME
GYM
JOG
LEARNING
LIST
MORNING
MOVIE
MUSIC
OUTING
PHYSICAL
PLANNING
PUZZLES
SCHEDULE
SPORTS
STRETCH
STUDIES
TALK
TASKS
TIME
VISIT
ZUMBA

Hardware Store

<table>
<tr><td>A</td><td>P</td><td>A</td><td>K</td><td>C</td><td>O</td><td>L</td><td>W</td><td>T</td><td>V</td><td>R</td><td>Y</td><td>S</td><td>J</td></tr>
<tr><td>N</td><td>I</td><td>A</td><td>H</td><td>C</td><td>U</td><td>T</td><td>R</td><td>A</td><td>M</td><td>I</td><td>W</td><td>C</td><td>S</td></tr>
<tr><td>A</td><td>P</td><td>Y</td><td>A</td><td>M</td><td>B</td><td>A</td><td>C</td><td>J</td><td>S</td><td>Y</td><td>C</td><td>H</td><td>E</td></tr>
<tr><td>P</td><td>E</td><td>U</td><td>B</td><td>F</td><td>T</td><td>H</td><td>S</td><td>R</td><td>C</td><td>H</td><td>O</td><td>E</td><td>D</td></tr>
<tr><td>K</td><td>L</td><td>E</td><td>J</td><td>C</td><td>I</td><td>M</td><td>P</td><td>R</td><td>O</td><td>V</td><td>E</td><td>W</td><td>G</td></tr>
<tr><td>K</td><td>R</td><td>I</td><td>H</td><td>S</td><td>A</td><td>L</td><td>Y</td><td>X</td><td>E</td><td>F</td><td>G</td><td>R</td><td>B</td></tr>
<tr><td>R</td><td>S</td><td>E</td><td>E</td><td>Q</td><td>H</td><td>L</td><td>T</td><td>L</td><td>P</td><td>U</td><td>A</td><td>E</td><td>S</td></tr>
<tr><td>T</td><td>T</td><td>L</td><td>D</td><td>R</td><td>F</td><td>A</td><td>I</td><td>E</td><td>O</td><td>S</td><td>R</td><td>N</td><td>L</td></tr>
<tr><td>I</td><td>N</td><td>L</td><td>E</td><td>N</td><td>S</td><td>W</td><td>M</td><td>P</td><td>R</td><td>E</td><td>O</td><td>C</td><td>O</td></tr>
<tr><td>L</td><td>W</td><td>I</td><td>O</td><td>W</td><td>I</td><td>Y</td><td>S</td><td>M</td><td>E</td><td>S</td><td>T</td><td>H</td><td>O</td></tr>
<tr><td>E</td><td>A</td><td>R</td><td>A</td><td>B</td><td>O</td><td>R</td><td>D</td><td>Q</td><td>E</td><td>R</td><td>S</td><td>U</td><td>T</td></tr>
<tr><td>K</td><td>L</td><td>D</td><td>L</td><td>P</td><td>T</td><td>D</td><td>G</td><td>Z</td><td>Z</td><td>R</td><td>V</td><td>A</td><td>N</td></tr>
</table>

BOLT
CALIPER
CAULK
CHAIN
CHISEL
DOWELS
DRILL
DRYWALL
FILTERS
FUSES

GRINDER
HAMMER
IMPROVE
KEY
LAWN
LOCK
LUMBER
NUT
PAINT
PIPE

PLIERS
RATCHET
ROPE
SHOVEL
STORAGE
TILE
TOOLS
VICE
WASHERS
WRENCH

Genealogy

P	N	R	O	B	L	O	C	A	T	I	O	N	B
E	A	N	P	I	H	S	N	I	K	X	Z	I	N
O	B	S	H	C	R	A	E	S	E	R	R	S	R
P	A	I	T	J	L	O	R	O	O	T	S	U	E
L	P	B	T	Y	H	R	D	C	H	F	O	O	H
E	T	L	S	S	E	I	L	I	M	A	F	C	T
S	I	I	T	D	R	G	I	E	E	R	T	G	A
I	S	N	N	R	A	I	H	T	L	Z	W	A	F
S	M	G	E	O	L	N	C	Y	H	T	A	E	D
T	T	S	R	C	D	R	E	H	T	O	R	B	F
E	D	N	A	E	R	J	S	U	S	N	E	C	W
R	D	F	P	R	Y	S	U	R	N	A	M	E	S

ANALYSIS
BAPTISM
BIRTH
BORN
BROTHER
CENSUS
CHILDREN
COUSIN
DATA
DEATH
DNA
FAMILIES
FATHER
HERALDRY
KINSHIP
LOCATION
NAMES
ORIGIN
PARENTS
PAST
PEOPLE
RECORDS
RESEARCH
ROOTS
SIBLINGS
SISTER
SOCIETY
SOFTWARE
SURNAME
TREE

Bread

B	A	N	A	N	A	D	O	S	G	G	U	S	K
R	A	I	S	I	N	O	A	T	R	Y	E	W	E
P	A	N	C	A	K	E	J	H	A	I	T	A	H
O	J	E	A	C	C	N	G	C	I	T	C	T	A
B	T	N	S	I	A	E	B	N	N	A	O	I	L
I	S	I	Y	E	B	C	M	E	N	L	B	P	L
B	A	G	E	L	E	T	O	R	T	I	L	L	A
R	E	D	K	P	I	H	U	F	S	A	K	V	H
O	Y	K	N	M	W	M	C	C	J	N	C	F	C
W	N	R	O	C	Z	N	U	B	E	T	I	H	W
N	P	U	M	P	K	I	N	I	F	F	U	M	P
C	S	W	E	E	T	E	N	O	C	S	Q	W	C

BAGEL
BANANA
BISCUIT
BROWN
BUN
CHALLAH
CHEESE
CORN
FOCACCIA
FRENCH
GRAIN
ITALIAN
MONKEY
MUFFIN
NAAN
OAT
PANCAKE
PITA
POTATO
PUMPKIN
QUICK
RAISIN
RYE
SCONE
SODA
SWEET
TORTILLA
WHITE
YEAST
ZWIEBACK

Frightening

Z	O	M	B	I	E	S	O	U	N	D	S	A	X
B	L	O	O	D	D	T	P	Y	R	C	E	W	D
V	S	A	S	N	L	S	K	A	E	R	C	E	A
T	G	N	E	T	H	G	I	R	F	A	R	B	R
O	O	I	I	W	A	Z	E	N	U	N	E	S	K
V	F	N	C	A	E	B	S	L	O	M	T	C	A
G	T	G	R	X	T	R	D	T	K	I	L	A	E
H	S	S	E	N	I	R	E	E	R	C	S	R	U
O	P	M	E	J	O	L	U	W	A	O	A	E	Q
S	M	I	P	N	E	F	N	C	O	T	B	C	S
T	U	S	Y	K	O	O	P	S	W	L	H	E	Z
V	B	T	S	R	E	D	I	P	S	M	F	V	S

BATS
BLOOD
BUMPS
CACKLE
CAULDRON
CREAKS
CREEPY
CRYPT
CURTAINS
DARK

DEATH
EERINESS
FIENDS
FOG
FRIGHTEN
GHOST
MIST
MOANING
NOISES
SCARE

SECRET
SKELETON
SOUNDS
SPIDERS
SPOOKY
SQUEAK
STROBES
WEBS
WEREWOLF
ZOMBIES

Engineering

E	N	G	I	N	E	T	A	E	R	C	E	K	B
A	X	V	Y	F	H	V	T	S	E	T	R	R	X
S	C	I	N	O	I	B	T	S	E	U	I	O	N
H	L	X	B	A	H	S	O	T	R	D	C	W	G
S	R	E	T	U	P	M	O	C	G	Y	C	N	M
C	C	I	D	V	I	E	L	E	E	A	I	A	S
C	O	I	F	O	G	L	S	J	D	W	T	M	K
N	I	R	S	E	M	B	D	O	A	H	E	A	I
A	D	V	L	Y	J	O	T	R	F	T	N	K	L
L	A	L	I	Q	H	R	D	P	S	I	E	E	L
P	O	W	Y	L	P	P	A	Y	R	M	G	I	T
C	R	Y	T	E	F	A	S	N	I	A	R	T	N

APPLY
AVIATION
BIONICS
BRIDGE
BUILD
CAD
CIVIL
COLLEGE
COMPUTER
CREATE

DEGREE
DRAWING
ENGINE
GENETIC
MAKE
MATH
MIT
MODEL
PHYSICS
PLAN

PROBLEMS
PROJECTS
ROAD
SAFETY
SKILL
SYSTEMS
TEST
TOOLS
TRAINS
WORK

Gloves

H	Z	K	M	M	S	R	S	I	L	K	W	B	F
R	O	P	A	I	R	E	Y	I	E	H	A	A	F
H	I	C	S	T	J	H	F	R	V	S	R	T	V
R	A	D	K	T	R	T	L	E	E	U	M	T	W
E	K	N	I	E	I	A	L	B	N	R	T	I	O
T	D	F	D	N	Y	E	A	B	I	G	H	N	O
N	R	L	G	S	G	L	B	U	N	I	M	G	L
I	E	O	J	F	L	L	T	R	G	C	L	C	Y
W	K	G	N	O	T	T	O	C	S	A	T	I	N
N	I	T	L	A	M	R	O	F	C	L	C	E	I
A	B	U	C	S	S	A	F	E	T	Y	V	E	V
J	P	E	F	H	F	H	Y	Z	W	O	N	S	M

BASEBALL
BATTING
BIKER
COTTON
EVENING
FOOTBALL
FORMAL
GOLF
HAND
HOCKEY
LACE
LEATHER
LIFTING
MITTENS
OVEN
PAIR
RIDING
RUBBER
SAFETY
SATIN
SCUBA
SILK
SKI
SNOW
SURGICAL
VINYL
WARMTH
WELDER
WINTER
WOOL

Swimming

L	B	P	R	F	O	R	M	N	B	G	F	S	G
F	L	O	A	T	E	Z	P	S	A	F	E	T	Y
U	X	W	Z	T	L	E	M	I	T	J	S	R	M
N	E	K	A	L	S	V	O	N	H	C	P	O	C
B	L	W	N	R	C	G	V	K	I	R	L	K	A
U	O	C	O	A	C	H	E	P	N	E	A	E	D
S	E	A	I	O	P	Z	M	L	G	V	S	C	N
U	F	P	T	O	T	Y	E	L	D	I	H	A	E
E	W	C	O	O	L	I	N	G	Z	D	E	J	Z
T	V	L	M	O	U	B	T	R	H	C	A	E	B
K	L	A	K	F	I	N	S	P	O	R	T	P	R
K	S	Q	W	Y	R	N	V	S	Q	X	O	H	H

BATHING
BEACH
BOAT
COACH
COOLING
CRAWL
DIVE
FINS
FLOAT
FORM

FUN
LAKE
LEGS
MOTION
MOVEMENT
OCEAN
OLYMPICS
PADDLE
POOL
RACE

SAFETY
SEA
SINK
SPLASH
SPORT
STROKE
TIME
WATER
WAVE
YMCA

Magnetic

G	L	N	H	O	L	D	I	R	M	W	A	R	D
X	I	E	E	T	P	U	L	L	E	F	S	V	L
O	G	P	K	G	G	P	H	Y	S	I	C	S	E
S	F	N	O	C	A	N	Q	J	O	L	I	T	I
O	P	P	O	S	I	T	E	Z	L	I	E	E	F
T	E	E	R	R	I	N	I	R	C	N	N	E	O
E	T	C	A	R	T	T	A	V	T	G	C	L	C
N	I	F	B	K	E	S	I	D	E	S	E	M	I
G	R	Y	G	R	E	N	E	V	T	I	R	O	N
A	R	E	P	E	L	R	S	R	E	T	T	E	L
M	E	L	O	P	X	S	S	A	P	M	O	C	A
G	F	E	R	R	O	U	S	E	F	U	L	G	O

ALNICO
ATTRACT
BAR
CLOSE
COMPASS
DRAW
ENERGY
FERRITE
FERROUS
FIELD
FILINGS
HOLD
IRON
LETTERS
MAGNETO
MRI
NEGATIVE
NICKEL
OPPOSITE
PHYSICS
POLE
POSITIVE
PULL
REPEL
SCIENCE
SPEAKERS
STEEL
STRENGTH
STRONG
USEFUL

Cotton Candy

A	R	F	P	C	V	B	V	D	L	T	U	Z	K
T	E	E	W	S	D	Y	W	R	E	M	M	U	S
R	H	R	S	T	V	S	C	A	S	N	A	C	K
E	N	G	T	W	L	S	U	C	I	R	C	U	S
A	U	I	I	F	N	E	R	D	L	I	H	C	C
T	P	D	C	L	L	M	M	A	I	R	I	A	Z
F	S	E	K	A	C	U	V	R	O	D	N	E	V
W	L	R	X	V	O	I	F	U	N	D	E	P	P
F	S	O	U	O	N	F	B	F	Y	T	S	A	T
O	O	L	S	R	E	L	B	G	Y	G	D	C	Q
P	F	O	A	S	U	G	A	R	K	N	I	P	T
P	T	C	D	E	M	B	C	M	C	G	K	Q	O

AIR
BAG
BLUE
CANDY
CARNIVAL
CHILDREN
CIRCUS
COLORED
CONE
FLAVOR
FLOSS
FLUFFY
FOOD
FUN
KIDS
LIGHT
MACHINE
MELT
MESSY
PINK
SNACK
SOFT
SPUN
STICK
SUGAR
SUMMER
SWEET
TASTY
TREAT
VENDOR

Botanical Gardens

I	S	P	U	B	L	I	C	T	R	E	E	S	X
A	S	D	L	R	U	L	S	O	P	A	R	K	S
N	E	R	I	A	E	L	Y	H	R	O	S	E	S
W	S	R	E	H	N	O	B	L	O	O	M	S	B
N	C	T	U	W	C	T	V	S	C	A	C	T	I
V	I	S	I	T	O	R	S	K	N	I	S	M	S
S	E	N	T	B	A	L	O	R	P	S	E	P	B
T	N	E	I	O	I	N	F	O	Z	T	E	R	R
U	C	D	G	T	R	H	R	Y	S	C	D	C	E
D	E	R	X	A	A	T	X	W	I	N	S	D	H
Y	O	A	X	N	R	L	Q	E	N	I	P	L	A
W	L	G	H	Y	E	Y	S	N	T	O	U	R	S

ALPINE
BLOOMS
BOTANY
BULBS
CACTI
EXHIBITS
FLOWERS
GARDENS
GROW
HERBS
HOT
LATIN
NAMES
NATURE
NEW YORK
ORCHIDS
PARKS
PLANTS
PUBLIC
RARE
ROSES
SCIENCE
SEEDS
SPECIES
STEM
STUDY
TOURS
TREES
TROPICS
VISITORS

Carbonated Beverages

T	Y	T	S	A	T	V	C	F	V	D	M	G	M
P	Q	K	Y	T	O	R	A	N	G	E	I	B	Z
C	P	Z	R	Z	I	N	F	N	G	C	L	E	J
A	S	O	U	S	T	Q	B	Z	I	I	F	V	T
N	H	E	P	A	R	G	B	O	T	L	P	E	B
A	O	S	R	Z	S	P	R	I	T	E	L	R	Z
Y	N	M	S	V	B	A	N	F	P	T	Y	A	Q
T	W	U	E	A	E	G	L	S	E	R	L	G	S
C	A	V	M	L	L	A	I	E	R	O	B	E	N
I	R	E	C	Y	V	G	W	E	C	K	B	M	L
X	T	B	R	O	B	S	H	Z	M	R	U	I	I
L	S	U	R	T	I	C	O	K	E	W	B	L	B

BEVERAGE
BOTTLE
BUBBLY
CAN
CHERRY
CITRUS
CLEAR
COKE
COLA
CRISP

DIET
FANTA
FLAVOR
GLASS
GRAPE
ICED
LEMON
LIME
ORANGE
PEPSI

POP
SERVE
SPRITE
STRAW
SWEET
SYRUP
TASTY
TINGLY
TREAT
VANILLA

Dolphins

F	C	C	A	G	I	L	E	U	L	B	E	Y	E
I	U	I	C	E	G	A	U	G	N	A	L	L	N
N	T	T	S	O	N	A	R	F	E	C	O	D	I
S	E	A	W	P	E	O	P	L	E	H	Z	N	R
T	M	U	I	R	A	U	Q	A	W	C	U	E	A
U	R	Q	M	N	A	E	C	O	H	U	A	I	M
O	G	A	M	A	C	F	L	I	P	P	E	R	S
P	S	E	I	I	M	B	Q	B	C	A	L	F	G
S	P	H	N	N	S	M	A	R	T	S	D	O	P
J	O	X	G	T	E	R	A	L	U	P	O	P	G
S	O	C	I	A	L	R	P	L	A	Y	F	U	L
U	H	F	L	U	K	E	S	E	S	H	O	W	S

AGILE
AQUARIUM
AQUATIC
BLOWHOLE
BLUE
CALF
CUTE
FINS
FLIPPERS
FLUKES

FRIENDLY
GENTLE
GRACEFUL
HOOPS
LANGUAGE
MAMMALS
MARINE
NICE
OCEAN
PEOPLE

PLAYFUL
PODS
POPULAR
SHOWS
SMART
SOCIAL
SONAR
SPOUTS
SWIMMING
TRAINERS

Numismatics

P	R	E	C	I	O	U	S	F	N	Y	B	Y	R
T	A	F	T	Y	B	B	O	H	A	T	G	R	Y
S	R	Q	B	N	S	R	L	A	T	E	M	T	V
W	E	A	T	C	E	J	B	U	S	I	R	N	Z
C	O	L	D	I	I	I	H	O	A	R	D	U	B
Y	E	V	G	I	N	S	C	A	T	A	L	O	G
Q	E	N	T	A	N	P	Z	N	E	V	O	C	O
Z	C	N	T	I	E	G	V	T	A	K	Z	O	Y
F	I	X	O	R	P	A	A	I	S	T	Y	P	E
M	R	C	I	M	L	D	M	Q	Y	M	E	P	A
B	P	O	Z	U	A	L	B	U	M	S	Z	E	R
W	D	Q	E	G	T	O	K	E	N	S	N	R	N

ALBUMS
ANCIENT
ANTIQUE
BOOKS
CATALOG
CENT
COINS
COPPER
COUNTRY
DATE

EAGLE
FOREIGN
HOARD
HOBBY
METAL
MINT
MONEY
OLD
PENNIES
PERIOD

PRECIOUS
PRICE
RARE
SUBJECT
TOKENS
TRADING
TYPE
VALUE
VARIETY
YEAR

Volleyball

J	D	U	M	P	K	R	G	X	H	C	T	A	M
T	E	N	M	G	N	I	K	C	O	L	B	C	C
T	R	G	A	A	T	T	A	C	K	E	R	E	B
O	T	N	S	H	K	O	L	Y	M	P	I	C	S
H	L	I	B	E	R	O	S	T	R	U	O	C	T
S	U	S	V	P	T	E	E	R	T	Z	O	B	N
M	A	S	P	O	R	T	V	V	E	R	E	U	I
A	F	A	B	V	M	T	I	O	I	T	O	M	O
E	M	P	I	W	O	M	E	N	A	D	T	P	P
T	I	N	D	O	O	R	G	T	G	A	M	E	S
L	G	A	A	C	N	E	O	S	K	I	L	L	S
L	T	Y	L	L	A	R	A	W	H	Q	O	W	M

ACE
APPROACH
ATTACKER
BLOCKING
BUMP
COURT
DIVE
DUMP
FAULT
GAME

INDOOR
LIBERO
MATCH
NCAA
NET
OLYMPICS
OVERHAND
PASSING
POINTS
RALLY

ROTATE
SCORING
SERVING
SETTERS
SETTING
SHOT
SKILLS
SPORT
TEAMS
WOMEN

Know Your Knitting

Y	B	C	I	R	B	A	F	I	B	E	R	I	D
A	Y	L	D	P	A	T	T	E	R	N	S	S	D
R	W	E	A	V	I	N	G	A	I	C	W	V	E
N	O	S	C	N	J	L	L	G	A	C	E	U	S
S	O	R	T	R	K	U	O	R	L	N	A	N	I
G	L	O	I	L	C	E	V	O	I	X	T	R	G
D	C	L	V	R	R	E	T	H	P	K	E	A	N
A	A	O	I	U	S	H	C	S	N	S	R	V	I
E	B	C	T	P	I	A	A	O	D	M	S	E	B
R	L	X	Y	N	M	I	T	T	E	N	S	L	B
H	E	E	G	U	A	G	D	N	S	W	O	R	I
T	P	R	A	W	E	L	T	I	N	G	M	A	R

ACTIVITY
BLANKETS
CABLE
CIRCULAR
CLOTHING
COLORS
DESIGN
FABRIC
FIBER
GARMENT

GAUGE
HATS
KNOT
LOOPS
MACHINE
MITTENS
PATTERNS
PURL
RIBBING
ROWS

SCARVES
SWEATERS
TEXTURE
THREAD
UNRAVEL
WARP
WEAVING
WELTING
WOOL
YARN

Grand Destinations

L	B	A	R	E	F	O	O	T	B	Z	B	L	R
U	A	C	A	L	U	F	P	L	E	H	U	D	I
X	H	I	N	E	L	B	R	A	M	F	F	L	S
U	A	A	C	G	S	H	O	R	E	S	F	O	L
R	M	M	H	A	M	M	O	C	K	S	E	G	A
Y	A	A	O	N	B	L	A	K	E	W	T	J	N
L	S	J	T	C	H	E	F	A	P	I	S	A	D
E	A	I	E	E	P	T	R	O	F	M	O	C	V
V	N	U	L	E	G	A	S	S	A	M	F	U	I
O	D	S	S	P	G	N	I	H	S	I	F	Z	L
L	E	X	O	T	I	C	A	B	I	N	S	Z	L
A	B	U	C	S	O	U	T	I	N	G	S	I	A

BAHAMAS
BAREFOOT
BUFFETS
CABINS
CHEF
COMFORT
ELEGANCE
EXOTIC
FISHING
GOLD
HAMMOCKS
HELPFUL
HOTELS
ISLAND
JACUZZI
JAMAICA
LAKE
LOVELY
LUXURY
MARBLE
MASSAGE
OUTINGS
PEACEFUL
RANCH
SAND
SCUBA
SEA
SHORES
SWIMMING
VILLA

Married Life

Y	L	O	A	T	H	O	N	O	R	R	P	L	V
B	O	Y	L	E	L	P	U	O	C	H	I	O	C
L	V	M	A	R	R	I	A	G	E	S	W	R	X
I	E	R	U	S	A	E	R	T	T	I	Y	O	J
S	T	Y	G	F	S	D	N	E	I	R	F	M	A
S	S	Q	H	V	U	U	N	I	T	E	D	A	L
P	A	R	T	N	E	R	S	A	F	H	N	N	L
O	T	C	E	P	S	E	R	S	B	C	R	C	I
U	I	P	R	O	M	I	S	E	Q	S	Z	E	E
S	S	W	E	E	T	I	E	L	D	D	U	C	D
E	F	Y	F	N	K	B	I	C	S	G	U	H	H
S	Y	L	I	M	A	F	W	E	D	D	E	D	L

ALLIED
BLISS
CHERISH
COUPLE
CUDDLE
FAMILY
FRIENDS
HEARTS
HONOR
HUGS
HUSBAND
JOY
KISS
LAUGHTER
LISTEN
LOVE
MARRIAGE
OATH
PARTNERS
PATIENCE
PROMISE
RESPECT
ROMANCE
SATISFY
SPOUSE
SWEET
TREASURE
UNITED
VOW
WEDDED

Busy Bees

F	K	X	W	R	I	A	P	E	R	Q	O	P	N
Q	F	C	S	F	D	O	E	A	S	O	L	O	W
X	U	O	A	R	L	R	F	E	M	A	L	E	O
K	V	E	O	L	F	O	R	A	G	I	N	G	K
J	H	N	E	D	B	B	W	E	N	G	B	S	G
J	E	N	A	N	U	A	U	E	H	N	A	N	E
U	D	Z	Y	E	I	L	C	Z	R	T	I	M	H
D	T	A	E	H	L	Y	L	E	Z	Y	A	N	S
X	X	C	N	C	D	C	P	Q	L	N	C	G	G
B	L	O	O	C	U	E	I	F	H	L	H	N	N
F	L	M	H	S	E	A	R	C	H	B	S	F	I
U	B	O	J	K	A	P	U	P	Y	C	X	A	W

BLACK
BUILD
BUZZ
CELLS
CLEAN
COMB
COOL
DANCE
DRONE
EGG

FANNING
FEMALE
FLOWER
FLYING
FOOD
FORAGING
GATHER
HEAT
HONEY
JOB

KEEPER
LABOR
POLLEN
PUPA
QUEEN
REPAIR
SEARCH
TASK
WAX
WINGS

Dust

Z	R	A	M	R	O	T	S	D	W	L	A	O	C
V	D	C	L	E	A	N	O	N	J	A	Z	X	V
R	T	M	O	L	U	M	P	U	E	Y	S	F	M
R	E	H	T	A	E	F	H	O	M	E	K	I	M
E	X	Y	O	S	C	R	Y	R	M	R	Z	B	Z
T	V	C	T	P	A	E	G	G	A	S	H	E	S
A	A	I	C	F	F	T	G	Y	S	M	Z	R	S
W	C	M	L	L	R	T	N	D	N	T	I	M	W
A	U	S	O	O	U	A	E	I	E	N	A	T	E
E	U	O	T	O	S	M	P	F	L	L	U	R	E
X	M	C	H	R	R	U	N	D	L	O	P	B	P
J	D	F	K	D	P	B	A	S	L	F	V	I	Y

ALLERGY
ASHES
BROOM
BUNNY
CLEAN
CLOTH
COAL
COSMIC
DOMESTIC
FEATHER

FIBER
FLOOR
GROUND
HOME
LAYER
LINT
MATTER
MITE
MOP
OLD

PLEDGE
SAW
SMALL
SNEEZE
STAR
STORM
SURFACE
SWEEP
VACUUM
WATER

Chess Competition

Z	R	O	U	N	D	S	P	P	I	E	C	E	S
D	Y	A	S	H	O	W	D	O	W	N	T	Z	F
M	U	R	N	O	N	I	W	R	H	E	Z	T	Y
R	G	E	T	K	P	R	P	E	P	S	P	I	R
O	Y	T	L	A	S	P	C	M	Y	L	I	L	M
O	K	S	A	L	A	N	O	G	A	I	D	B	E
K	C	A	T	T	A	C	E	N	W	H	I	T	E
C	O	M	C	V	T	T	T	D	E	G	C	T	T
O	L	C	D	R	A	T	H	G	I	N	K	T	D
L	B	A	O	R	E	L	A	R	B	I	T	E	R
C	A	P	T	U	R	E	Q	B	N	W	Q	S	A
V	S	S	O	L	Y	J	Y	G	J	D	W	T	W

ADVANCE
ARBITER
ATTACK
BISHOP
BLITZ
BLOCK
CAPTURE
CHAMPION
CLOCK
COMPETE
DIAGONAL
DRAW
DUEL
KING
KNIGHT
LOSS
MASTER
MEET
OPPONENT
PIECES
PLAN
RANKS
ROOK
ROUNDS
SHOWDOWN
SPORT
STRATEGY
TEST
WHITE
WIN

Snowmobiling

W	E	W	D	F	Y	S	K	I	S	F	L	M	Y
C	P	N	A	W	P	Y	K	A	L	A	S	K	A
I	A	S	U	E	N	I	G	N	E	I	B	F	M
L	T	K	E	X	S	S	E	X	R	S	I	L	A
O	H	D	M	O	U	N	T	A	I	N	W	N	H
U	S	O	A	V	I	R	L	N	R	C	I	X	A
D	S	N	W	L	E	O	S	E	D	O	N	V	S
D	K	R	O	M	P	H	L	R	V	Z	T	L	J
C	C	S	E	W	E	S	I	O	N	A	E	O	U
Y	A	C	L	N	C	V	A	C	U	D	R	I	M
G	R	Z	U	W	E	A	R	D	L	O	C	T	P
Z	T	F	O	R	E	S	T	D	R	E	D	I	R

ALASKA
ATV
COLD
DRIVER
ENGINE
EXTREME
FAST
FOREST
FUN
GASOLINE

ICE
JUMP
LAND
LOUD
MOTOR
MOUNTAIN
NOISE
PATHS
POLARIS
RIDER

SKIS
SLED
SNOWCAT
SPEED
TRACKS
TRAILS
TRAVEL
VEHICLE
WINTER
YAMAHA

Hotels

T	T	A	Y	H	B	W	Y	B	S	A	U	N	A
R	E	L	P	A	T	R	O	N	U	B	M	A	C
A	P	S	M	S	Y	Y	O	M	U	D	Y	I	H
V	G	S	R	A	D	I	S	S	O	N	G	T	I
E	C	K	L	O	T	V	I	E	W	N	M	E	L
L	G	O	B	A	L	N	G	G	A	O	O	N	T
R	O	A	C	U	E	C	N	A	R	T	N	E	O
P	E	A	R	S	T	M	I	G	A	A	O	V	N
P	V	S	S	I	O	A	G	G	M	R	P	Z	N
L	U	X	O	R	M	I	D	U	A	E	O	E	N
F	O	Y	E	R	F	D	O	L	D	H	L	O	D
S	L	E	W	O	T	M	L	T	A	S	Y	V	M

BUDGET
BUSINESS
ENTRANCE
FOYER
GYM
HILTON
HYATT
LODGING
LUGGAGE
LUXOR
MAID
MEALS
MIRAGE
MONOPOLY
MOTEL
PATRON
PEABODY
POOL
RADISSON
RAMADA
RESORT
ROOM
SAUNA
SHERATON
SPA
TOWELS
TRAVEL
VACATION
VENETIAN
VIEW

Tires

R	O	A	D	G	R	O	O	V	E	E	W	I	P
N	O	W	E	Z	I	S	F	L	C	O	C	R	U
X	T	T	K	Y	W	L	C	A	N	I	E	O	N
O	R	C	A	I	R	Y	L	S	R	S	B	N	C
T	A	A	N	T	C	P	O	C	S	S	U	T	T
J	V	G	B	I	E	R	U	U	J	V	T	R	U
P	E	G	B	R	L	L	R	L	A	I	D	A	R
P	L	N	I	R	A	E	Y	D	O	O	G	C	E
E	J	O	K	R	V	E	H	I	C	L	E	K	R
F	K	A	E	L	B	R	W	C	B	S	L	S	A
D	I	L	L	L	A	W	E	D	I	S	O	S	P
L	H	X	K	C	K	C	U	R	T	M	H	B	S

AIR
BICYCLE
BIKE
CAR
CIRCULAR
FIX
GOODYEAR
GROOVE
HOLE
IRON

JACK
LEAK
MICHELIN
PRESSURE
PUNCTURE
RADIAL
REPLACE
ROAD
ROTATE
SIDEWALL

SIZE
SNOW
SPARE
SWING
TRACKS
TRAVEL
TRUCK
TUBE
VEHICLE
WEAR BAR

School Assignments

B	O	C	O	L	O	R	I	N	G	L	U	E	H
A	I	M	O	D	E	L	B	K	C	O	M	S	W
N	N	C	I	M	A	R	E	C	U	G	U	R	E
N	H	C	E	E	P	S	U	P	U	O	R	G	C
E	M	A	G	P	N	U	G	N	I	K	A	B	N
R	T	L	I	C	N	E	T	S	G	L	L	S	E
I	E	I	N	S	T	I	M	E	L	I	N	E	I
A	E	T	S	C	I	S	S	O	R	S	X	T	C
F	Y	R	S	B	N	E	C	R	A	Y	O	N	S
R	A	A	K	O	E	L	I	B	O	M	Q	I	O
E	L	Z	Z	U	P	W	Y	R	O	T	S	A	N
S	C	P	O	E	M	N	A	V	Y	A	L	P	G

ART
BAKING
BANNER
CERAMIC
CLAY
COLLAGE
COLORING
COMPUTER
CRAYONS
FAIR

GAME
GLUE
GROUP
MOBILE
MODEL
MURAL
PAINT
PLAY
POEM
POSTER

PUZZLE
SCIENCE
SCISSORS
SMOCK
SONG
SPEECH
STENCIL
STORY
TIMELINE
WEBSITE

Property

B	K	C	A	R	O	J	M	V	T	L	O	U	I
W	P	T	S	U	R	T	E	C	V	E	N	I	M
H	B	P	S	H	C	U	I	C	L	A	G	E	L
Y	T	R	E	B	I	L	L	L	N	S	W	M	T
K	H	I	T	G	B	T	A	C	R	E	S	O	T
E	I	V	S	U	A	E	W	G	A	I	F	H	R
O	N	A	P	X	R	G	U	L	L	I	G	W	A
T	G	T	R	C	O	N	T	R	O	L	A	H	C
L	S	E	E	S	A	H	C	R	U	P	I	G	T
O	N	N	M	S	S	E	S	S	O	P	Z	W	A
T	C	V	Y	L	O	P	O	N	O	M	N	W	O
B	J	J	X	V	C	L	H	P	R	P	Y	U	B

ACRES
ASSETS
BOAT
BUY
CAR
CONTROL
FENCE
HOME
LAW
LEASE

LEGAL
LIBERTY
LOT
MINE
MONOPOLY
MORTGAGE
OWN
POSSESS
PRIVATE
PUBLIC

PURCHASE
REAL
RENT
RIGHT
TAX
THINGS
TRACT
TRUST
WEALTH
WILL

Paintball

W	S	E	L	U	R	M	T	S	E	V	L	F	C
O	J	Q	L	O	E	U	A	N	E	R	A	D	O
O	C	Y	G	U	P	D	N	R	N	D	L	E	U
D	O	V	N	T	P	E	U	N	K	E	M	M	R
S	M	P	I	D	O	F	F	R	I	E	N	D	S
J	B	L	P	O	H	E	S	F	R	N	R	W	E
H	A	A	M	O	H	N	O	T	P	M	G	S	U
U	T	Y	A	R	N	S	X	W	I	P	I	N	G
R	E	E	R	S	S	E	L	G	G	O	G	A	A
T	A	R	G	E	T	T	N	E	L	O	I	V	E
I	M	S	F	X	B	A	T	T	L	E	S	G	L
A	S	N	U	G	A	M	E	S	K	S	A	M	X

AIM
ARENA
BATTLE
COMBAT
COURSE
DEFENSE
EXTREME
FIELD
FRIENDS
FUN

GAMES
GOGGLES
GUNS
HOPPER
HURT
LEAGUES
MARKERS
MASKS
OPPONENT
OUTDOORS

PLAYERS
RAMPING
RULES
RUNNING
TARGET
TEAMS
VEST
VIOLENT
WIPING
WOODS

Cows

O	E	D	K	U	X	Q	U	C	O	B	K	N	W
E	L	U	O	P	Z	N	P	B	U	L	L	S	E
T	C	Q	E	O	S	O	B	L	C	D	O	R	S
N	C	N	J	W	F	R	E	O	P	G	U	E	T
R	B	E	E	F	X	A	W	L	V	N	S	E	J
O	Z	G	R	F	T	B	R	A	A	I	F	T	Y
H	P	N	S	H	O	L	Q	M	X	Z	N	S	H
G	Y	A	E	Y	X	O	K	I	E	A	D	E	I
N	R	R	Y	L	C	O	U	N	T	R	Y	S	D
O	K	L	I	M	A	M	M	A	L	G	S	R	E
L	U	M	E	A	T	E	A	R	O	D	E	O	R
Z	I	F	E	E	D	Q	V	X	Y	H	G	H	D

ANIMAL
BEEF
BOVINE
BULLS
COUNTRY
COWBOY
CUD
DAIRY
FARMERS
FEED

FENCE
FOOD
GRAZING
HERD
HIDE
HORSES
JERSEY
LEATHER
LONGHORN
MAMMAL

MANURE
MEAT
MILK
MOO
PEN
RANGE
RODEO
STEERS
VEAL
WEST

Seeing a Doctor

C	W	E	I	G	H	T	K	Y	Z	S	A	D	G
O	L	A	B	U	R	C	S	W	A	B	G	O	U
N	L	E	Z	E	E	N	S	T	R	A	H	C	X
C	V	O	V	H	N	E	T	S	I	L	Y	T	C
E	N	I	C	I	D	E	M	V	E	R	G	O	W
R	R	O	T	I	N	O	M	S	O	N	U	R	A
N	B	R	E	A	T	H	E	T	H	G	L	X	I
S	X	T	I	P	M	G	S	C	H	O	G	L	T
C	T	J	M	L	N	I	X	M	I	R	T	X	I
A	E	Y	M	A	H	X	N	R	A	V	O	S	N
L	S	V	H	S	T	R	E	S	S	X	D	A	G
E	T	C	O	L	D	J	N	A	U	S	E	A	T

ADVICE
BREATHE
CHANGES
CHARTS
CHECK
COLD
CONCERNS
COUGH
DIET
DOCTOR

EXAM
HISTORY
ILLNESS
LAB
LISTEN
MEDICINE
MONITOR
NAUSEA
SCALE
SCRUB

SHOTS
SNEEZE
STRESS
SWAB
SYMPTOMS
TEST
THROAT
VITAMINS
WAITING
WEIGHT

Snacks

S	D	I	K	L	I	M	R	E	Y	W	R	C	B
T	M	U	F	F	I	N	S	P	I	H	C	K	A
A	O	H	U	M	M	U	S	H	C	A	T	P	G
E	R	S	L	E	Z	T	E	R	P	S	U	R	E
A	S	Y	D	O	O	F	A	T	U	D	A	P	L
S	E	D	N	R	H	C	I	W	D	N	A	S	J
Y	L	N	R	I	K	A	E	I	O	O	C	N	E
T	K	A	G	E	F	I	N	L	C	M	H	I	R
L	C	C	R	R	K	G	A	F	V	L	E	S	K
A	I	S	A	O	D	R	I	N	K	A	E	I	Y
S	P	P	O	P	C	O	R	N	U	T	S	A	F
L	K	C	I	U	Q	G	N	I	T	S	E	R	H

ALMONDS
BAGEL
CANDY
CARROTS
CHEESE
CHIPS
COOKIE
CRACKERS
DRINK
EASY
EATS
FOOD
GRANOLA
HUMMUS
JERKY
KIDS
MILK
MORSEL
MUFFIN
NUTS
PARFAIT
PICKLES
POPCORN
PRETZELS
PUDDING
QUICK
RAISINS
RESTING
SALTY
SANDWICH

Seclusion

K	D	R	E	S	T	M	Y	P	A	R	E	H	T
S	E	L	F	J	T	Y	O	Z	G	G	M	E	E
H	T	W	O	R	G	N	R	D	R	Z	M	C	C
X	A	Y	A	R	P	I	I	A	E	I	N	A	N
E	L	T	R	A	P	A	H	A	T	E	L	L	E
D	O	I	W	A	X	C	A	H	S	I	R	P	L
E	S	T	I	F	E	N	E	B	E	M	L	F	I
U	I	N	Z	R	Y	C	A	V	I	R	P	O	S
L	R	E	M	O	T	E	I	U	Q	D	M	K	S
A	H	D	D	U	B	A	L	O	N	E	N	I	D
V	M	I	K	N	I	H	T	D	H	O	W	I	T
G	Y	S	E	T	R	R	O	O	M	C	Z	H	M

ABSENCE
ALONE
APART
BENEFITS
BUDDHA
CHOICE
FREEDOM
GROWTH
HERMIT
IDENTITY
ISOLATED
JOY
MIND
MONKS
PLACE
PRAY
PRIVACY
QUIET
RECHARGE
REMOTE
REST
ROOM
SAINTS
SELF
SILENCE
SOLITARY
THERAPY
THINK
TIME
VALUED

Ice Fishing

I	K	F	S	C	U	M	L	V	E	B	E	E	Z
P	I	R	A	N	H	S	U	L	S	X	L	W	N
O	R	O	W	A	R	M	T	H	A	B	O	O	G
T	E	Z	S	E	R	U	T	P	A	C	H	R	A
P	G	E	G	S	D	E	P	T	H	H	L	M	M
I	U	N	E	W	D	T	R	T	R	I	P	S	K
T	A	N	R	O	S	O	F	R	E	S	H	B	U
D	I	L	U	N	P	B	H	B	T	E	G	W	C
L	W	A	L	N	E	R	P	T	L	L	M	I	I
W	K	T	B	I	A	U	H	O	E	A	H	L	J
D	M	V	P	M	R	B	G	Y	H	M	D	D	T
M	I	R	S	L	E	D	Y	E	S	C	P	E	Y

ATV
AUGER
AXE
BAIT
BLADE
BURBOT
CAPTURE
CHISEL
CHOP
DANGERS
DEPTH
DRILL
FRESH
FROZEN
HOLE
JIGS
LINES
LURE
METHODS
MINNOWS
PORTABLE
SAW
SHELTER
SLED
SLUSH
SPEAR
TRIPS
WARMTH
WILD
WORMS

Antiques

C	P	O	T	T	E	R	Y	T	U	A	E	B	S
A	E	U	Q	I	N	U	N	M	U	S	E	U	M
R	O	C	E	D	D	E	A	L	E	R	L	T	E
I	R	Y	L	A	G	N	I	P	P	O	H	S	T
U	U	O	B	C	A	B	G	C	U	P	Y	A	I
B	T	C	A	F	I	T	R	A	N	D	I	P	Y
Q	I	H	U	D	M	M	O	E	T	A	T	S	E
M	L	A	L	U	S	B	E	G	A	T	N	I	V
U	I	I	A	O	J	H	G	P	E	R	I	O	D
D	T	R	V	E	Z	N	O	I	T	C	U	A	L
Z	Y	E	C	A	L	N	H	W	O	O	D	G	O
J	Y	T	I	R	A	R	E	R	W	E	L	A	S

ANCIENT
ARTIFACT
AUCTION
BEAUTY
BUY
CAR
CHAIR
DEALER
DECOR
ERA

ESTATE
GEORGIAN
ITEMS
LACE
MUSEUM
OBJECT
OLD
PAST
PERIOD
POTTERY

RARITY
ROADSHOW
RUGS
SALE
SHOPPING
UNIQUE
UTILITY
VALUABLE
VINTAGE
WOOD

Spring Break

Y	B	O	Y	S	L	L	E	V	A	R	T	M	U
Z	A	A	I	R	F	A	R	E	S	O	R	T	C
A	R	V	N	E	F	S	S	B	U	L	C	L	P
R	S	Y	I	L	G	U	O	X	V	S	M	U	L
C	A	A	K	A	F	N	N	D	A	U	G	G	A
A	N	W	I	X	F	S	I	A	C	N	N	G	Y
N	D	A	B	I	G	H	D	Y	A	B	I	A	I
C	A	T	R	N	N	I	P	T	T	U	C	G	N
U	L	E	K	G	R	N	B	O	I	R	N	E	G
N	S	G	H	O	T	E	L	N	O	N	A	A	Q
G	I	R	L	S	O	C	E	A	N	L	D	P	T
K	I	F	Q	O	C	I	X	E	M	U	S	I	C

AIRFARE
BARS
BIKINI
BONFIRES
BOYS
CANCUN
CLUBS
CRAZY
DANCING
DAYTONA
FLORIDA
FUN
GET AWAY
GIRLS
HOTEL
LUGGAGE
MEXICO
MUSIC
OCEAN
PARTYING
PLAYING
POOL
RELAXING
RESORT
SANDALS
SUNBURN
SUNSHINE
TAN
TRAVEL
VACATION

Road Repair

S	T	O	P	S	L	E	V	O	H	S	I	G	N
D	E	M	E	D	I	A	N	E	E	B	X	D	Y
M	O	N	T	H	S	E	S	N	G	L	R	E	T
S	O	R	L	P	L	L	I	G	D	A	E	T	E
C	S	B	H	O	O	H	B	I	I	C	D	O	F
I	Y	A	H	W	C	A	H	N	R	K	L	U	A
N	L	T	P	A	R	C	A	E	B	T	U	R	S
T	O	W	M	R	E	G	E	E	A	O	O	G	K
P	A	V	E	M	E	N	T	R	W	P	H	N	C
M	N	L	E	R	A	V	R	O	A	D	S	I	U
A	S	N	L	L	C	N	O	I	T	U	A	C	R
R	T	R	O	L	L	E	R	I	L	I	G	H	T

ASPHALT
BARRELS
BLACKTOP
BRIDGE
CAUTION
CEMENT
CONES
CREW
DETOUR
DRAINAGE

ENGINEER
LANE
LIGHT
MACHINES
MEDIAN
MONTHS
OVERPASS
PAVEMENT
POTHOLE
RAMP

ROADS
ROLLER
SAFETY
SHOULDER
SHOVELS
SIGN
SLOW
STOPS
TAR
TRUCKS

Wash the Dishes

M	F	Y	F	A	S	T	W	M	T	M	D	B	N
Q	N	O	V	D	T	R	A	K	A	I	Y	O	S
I	R	U	O	Q	E	M	S	C	U	R	M	P	I
K	Q	B	Z	D	A	V	H	Q	W	A	T	E	R
Y	B	U	W	Y	M	I	I	W	F	D	O	O	R
D	P	O	T	S	N	L	S	C	R	I	N	S	E
T	P	A	K	E	N	M	O	R	E	J	L	F	D
R	G	A	S	A	N	I	T	I	Z	E	I	L	L
P	O	B	O	W	L	S	P	O	O	N	S	C	H
S	L	K	J	N	O	C	I	J	K	C	A	T	S
S	C	R	U	B	U	B	B	L	E	S	T	R	I
I	Q	X	R	T	K	N	I	S	S	A	L	G	D

BOWLS
BUBBLES
CLOG
DEVICE
DISH
DOOR
FAST
FILL
FOOD
FORK

GLASS
KENMORE
KNIFE
LIQUID
MACHINE
MAYTAG
POTS
POWDER
RINSE
SANITIZE

SCRUB
SINK
SOAK
SPOONS
STACK
STEAM
TIMER
UTENSILS
WASH
WATER

Scrapbooks

Y	T	L	D	E	C	O	R	A	T	E	U	L	G
R	E	P	A	P	V	N	O	B	B	I	R	F	S
M	L	S	S	N	O	I	T	P	A	C	R	O	P
E	S	C	O	L	O	R	S	D	N	E	I	R	F
P	T	F	A	R	C	S	R	E	K	C	I	T	S
U	E	V	R	E	S	E	R	P	H	O	T	O	T
N	N	H	G	L	I	T	T	E	R	D	C	P	U
C	C	S	E	R	U	T	C	I	P	R	A	A	O
H	I	S	T	O	R	Y	B	A	B	O	L	S	Y
E	L	A	N	R	U	O	J	R	L	C	B	T	A
S	S	R	E	T	T	E	L	T	B	E	U	U	L
A	F	U	N	W	B	I	N	D	E	R	M	C	X

ADHESIVE
ALBUM
ART
BABY
BINDER
CAPTIONS
COLOR
CRAFT
CROP
CUT

DECORATE
FRIENDS
FUN
GLITTER
GLUE
HISTORY
JOURNAL
LAYOUTS
LETTERS
PAPER

PAST
PERSONAL
PHOTO
PICTURES
PRESERVE
PUNCHES
RECORD
RIBBON
STENCILS
STICKERS

Puzzling

J	J	I	E	M	N	U	F	Q	M	M	B	B	C
Z	R	W	O	E	S	I	C	R	E	X	E	O	H
M	Y	X	D	N	J	I	G	S	A	W	O	X	E
A	E	D	W	T	A	K	Q	U	I	Z	Z	E	S
T	I	L	S	A	N	H	E	L	D	D	I	R	S
H	Z	E	B	L	A	Q	D	S	O	L	V	E	E
T	T	E	R	O	G	E	G	A	B	B	I	R	C
K	H	P	Z	N	R	E	B	M	U	N	U	U	E
N	W	S	I	A	A	P	K	X	Q	G	M	T	I
I	O	Y	E	N	M	A	I	V	I	R	T	C	P
H	R	U	K	O	D	U	S	F	L	O	G	I	C
T	D	V	I	S	U	A	L	I	C	N	E	P	T

ANAGRAM
BEWILDER
BOX
CHESS
CRIBBAGE
EXERCISE
FIGURE
FUN
HANOI
HIDDEN
JIGSAW
LOGIC
MATH
MAZE
MENTAL
NUMBER
PENCIL
PICTURE
PIECES
PROBLEM
QUIZZES
RIDDLE
SOLVE
SUDOKU
TEST
THINK
TRIVIA
TRYING
VISUAL
WORD

Lasers

D	I	O	D	E	G	Y	W	E	A	P	O	N	B
K	F	A	Q	T	M	S	C	I	T	P	O	W	E
D	E	T	A	G	N	I	D	L	E	W	L	N	A
X	A	W	P	S	V	B	S	R	E	B	I	F	M
T	F	E	B	E	C	U	T	S	E	C	L	T	S
I	N	Y	D	L	E	R	S	C	I	S	Y	H	P
S	L	E	M	Y	U	N	N	D	U	O	Y	G	R
T	P	S	P	A	C	E	E	R	T	O	N	I	I
I	H	Y	O	R	I	M	G	R	H	A	C	R	N
R	O	L	O	C	D	E	L	E	G	S	E	B	T
C	T	E	S	L	R	T	E	D	I	Y	L	H	E
L	D	P	T	Y	X	J	E	D	L	N	T	J	R

BEAM
BLUE
BRIGHT
BURN
COLOR
CUT
DEVICE
DIODE
DISC
EMISSION

ENERGY
EYES
FIBER
HEAT
HOT
LED
LIGHT
MEDICINE
OPTICS
PENS

PHYSICS
PRINTER
RAY
RED
SCIENCE
SPACE
SURGERY
TAG
WEAPON
WELDING

Sneakers

H	Q	S	R	E	G	G	O	J	K	C	A	R	T
X	P	N	S	A	V	N	A	C	O	U	R	T	S
S	R	E	N	N	U	R	E	B	B	U	R	F	D
A	O	A	E	N	D	O	R	S	E	D	K	I	E
D	M	K	E	X	E	R	C	I	S	E	P	L	K
I	O	E	R	W	E	E	V	E	R	Y	D	A	Y
D	T	R	U	H	T	S	K	E	E	S	E	C	H
A	E	S	T	S	A	O	P	I	V	C	S	I	I
Z	H	A	L	M	O	P	O	X	N	I	I	S	P
U	E	A	U	E	U	L	Z	F	O	S	G	Y	H
L	E	P	C	S	T	N	E	C	C	A	N	H	O
D	G	R	I	P	H	B	R	A	N	D	S	P	P

ACCENTS
ADIDAS
ASICS
BRANDS
CANVAS
CONVERSE
COURTS
CULTURE
DEALS
DESIGNS
ENDORSED
EVERYDAY
EXERCISE
FILA
FOOTWEAR
GRIP
HIP HOP
JOGGERS
KEDS
LEATHER
NIKE
PHYSICAL
PROMOTE
PUMAS
RUBBER
RUNNERS
SNEAKERS
SOLE
TRACK
UPPER

Assisted Living

T	I	S	I	V	Y	I	F	I	T	N	E	S	S
T	A	L	K	C	Y	T	S	R	O	I	N	E	S
F	S	T	F	A	R	C	S	R	O	T	C	O	D
C	D	G	K	R	S	B	A	T	H	I	N	G	A
A	I	T	N	E	M	E	D	V	V	B	H	E	G
L	S	H	I	I	N	M	C	R	I	T	E	L	I
E	A	E	T	L	S	I	E	U	L	R	L	D	N
N	B	R	T	L	C	S	C	A	R	E	P	E	G
D	L	A	I	C	O	S	E	I	L	I	R	R	A
A	E	P	N	B	Q	H	X	R	D	S	T	L	M
R	D	Y	G	D	I	A	C	I	D	E	M	Y	E
S	K	O	O	C	R	O	T	I	N	O	M	Z	S

AGING
BATHING
BED
CALENDAR
CARE
COOKS
CRAFTS
DEMENTIA
DISABLED
DOCTORS
DRESSING
ELDERLY
FITNESS
GAMES
HEALTH
HELP
ILL
KNITTING
MEALS
MEDICAID
MEDICINE
MONITOR
PRIVACY
SECURITY
SENIORS
SERVICES
SOCIAL
TALK
THERAPY
VISIT

Very Quick

L	A	S	E	R	E	T	S	G	A	R	D	T	R
T	E	N	R	E	T	N	I	R	P	S	N	R	O
E	V	S	Q	T	O	R	N	A	D	O	U	A	C
J	C	T	S	U	P	E	R	M	A	N	O	I	K
E	N	A	L	P	R	I	A	K	L	E	S	N	E
N	J	C	R	M	C	H	E	E	T	A	H	S	T
O	E	D	R	O	C	N	O	C	L	A	F	E	I
L	T	L	A	C	B	P	H	O	T	O	N	S	B
C	S	I	P	S	A	I	L	F	I	S	H	R	B
Y	V	W	I	R	A	R	R	E	F	W	M	O	A
C	E	G	D	L	I	G	H	T	I	M	E	H	R
M	I	S	S	I	L	E	N	E	R	G	Y	W	U

AIRPLANE
CHEETAH
COMPUTER
CONCORDE
CYCLONE
DRAGSTER
ELK
ENERGY
FALCON
FERRARI

HORSES
INTERNET
JETS
LASER
LEOPARDS
LIGHT
MISSILE
PHOTONS
RABBIT
RACE

RAPIDS
ROCKET
SAILFISH
SOUND
SPRINTER
SUPERMAN
TIME
TORNADO
TRAINS
WILDCATS

Binoculars

X	T	F	S	T	F	F	C	A	M	E	R	A	S
M	R	F	P	S	M	O	Z	I	M	A	G	E	G
I	E	O	Y	U	S	J	L	S	G	L	E	N	S
Q	V	C	I	J	L	I	C	D	Y	L	I	O	E
L	O	A	N	D	T	I	E	D	I	T	A	I	I
V	C	L	G	A	T	Z	T	Z	N	N	J	S	R
O	M	R	R	P	T	O	Z	U	T	H	G	I	S
L	O	Y	O	B	U	S	H	N	E	L	L	V	O
P	O	W	E	R	Y	F	I	N	G	A	M	O	P
U	Z	O	I	O	R	A	F	D	H	O	E	Y	E
G	Y	S	K	P	R	I	S	M	E	G	N	A	R
Y	T	B	V	O	U	S	M	A	L	L	D	V	A

ADJUST
BUSHNELL
CAMERA
COVERT
DISTANCE
EYE
FAR
FOCAL
FOLDING
GLASS
HUNTING
IMAGE
LENS
LOOK
MAGNIFY
MILITARY
MIRROR
OPERA
OPTICS
POWER
PRISM
RANGE
SEE
SIGHT
SMALL
SPYING
TOURIST
VISION
ZEISS
ZOOM

Paint Your Nails

A	S	Y	L	K	C	A	L	B	T	E	M	S	I
P	T	L	V	A	N	T	R	I	C	O	L	O	R
B	R	T	R	D	C	I	Y	S	Q	T	K	A	H
C	O	A	T	I	G	Q	M	Z	P	U	E	S	S
A	N	T	A	H	G	E	U	R	A	L	I	A	U
P	G	B	T	O	L	E	O	E	C	N	T	D	R
S	I	D	G	L	I	T	T	E	R	H	N	M	B
L	E	N	A	M	E	L	L	A	Y	S	I	A	I
R	N	A	K	C	M	I	V	F	L	N	A	K	T
T	I	I	T	W	F	M	C	H	I	P	P	E	D
Q	H	L	J	E	T	A	R	O	C	E	D	U	M
R	S	S	A	L	O	N	E	T	I	H	W	P	O

ACRYLIC
BLACK
BOTTLE
BRIGHT
BRUSH
CHIPPED
CLEAR
COAT
COLOR
DECORATE

ENAMEL
FILE
GIRLS
GLITTER
LACQUER
LIQUID
MAKEUP
NAILS
PAINT
PINK

PROTECT
RED
SALON
SHINE
SMELL
SPA
STRONG
TOE
VARNISH
WHITE

Neighbors

F	R	I	E	N	D	L	Y	S	L	V	S	H	W
X	S	T	U	O	K	O	O	C	A	S	K	O	N
Z	D	R	C	H	I	L	D	R	E	N	R	U	A
U	R	O	E	G	O	L	K	N	M	R	C	S	O
I	A	P	B	P	S	E	D	A	O	T	A	E	L
U	Y	P	R	A	E	N	T	B	C	A	R	H	C
L	S	U	A	R	I	D	E	E	L	H	E	F	S
H	S	S	B	K	T	C	I	S	E	C	N	E	F
Y	C	A	V	I	R	P	U	L	W	R	D	U	P
H	H	T	S	N	A	W	Q	O	I	B	T	D	L
E	F	I	A	G	P	A	K	O	N	O	I	S	E
L	V	C	J	W	W	P	O	T	E	A	G	H	H

BARBECUE
BORROW
CARE
CHAT
CHILDREN
COOKOUTS
FENCES
FEUDS
FRIENDLY
HELP
HOUSE
KINDNESS
LEND
LOAN
MEAL
NEAR
NOISE
PARKING
PARTIES
PRIVACY
QUIET
SHARE
STREET
SUPPORT
TEA
TOOLS
VISIT
WATCH
WELCOME
YARDS

Mountain Climbing

R	X	C	C	E	W	A	T	E	R	V	I	E	N
S	I	K	P	A	O	C	H	A	L	K	Q	J	U
B	B	O	I	M	M	E	P	W	A	L	L	S	P
E	R	O	N	O	O	P	X	U	P	G	O	H	O
B	P	H	U	H	E	U	B	A	L	C	O	R	D
F	S	A	S	L	W	T	N	O	W	L	P	N	M
G	T	Y	D	H	D	L	V	T	D	F	S	U	R
S	R	R	E	D	N	E	C	S	A	F	E	T	Y
E	O	I	O	L	I	B	R	E	N	I	L	S	T
U	N	P	P	C	L	N	R	O	H	C	N	A	P
U	G	A	B	N	K	U	G	N	I	B	B	E	W
F	N	C	W	O	T	A	P	E	J	U	L	X	T

ANCHOR
ASCENDER
AXE
BAG
BELT
BOULDER
CAMP
CHALK
CORD
GLOVE
GRIP
HOLDS
HOOK
LINE
LOOPS
MOUNTAIN
NUTS
PADDING
PIN
PULLEYS
RAPPEL
ROCK
ROPE
SAFETY
SHOE
STRONG
TAPE
WALLS
WATER
WEBBING

The Wizard of Oz

K	B	M	U	S	I	C	Z	V	N	D	Q	B	S
L	R	H	O	M	E	Y	D	O	A	M	R	G	H
F	O	L	W	V	G	L	I	N	D	A	D	E	O
E	O	L	I	O	I	L	C	O	U	R	A	G	E
S	M	M	L	I	B	E	W	O	L	L	E	Y	S
U	Y	E	R	I	H	N	C	L	A	S	S	I	C
O	W	S	R	E	P	P	I	L	S	O	N	G	O
H	L	B	A	A	T	O	C	A	S	T	L	E	L
O	C	R	A	T	L	S	P	B	R	A	I	N	O
S	T	T	G	S	N	D	I	M	N	O	Q	N	R
K	E	O	I	J	J	A	G	W	I	Z	A	R	D
A	D	R	T	W	W	M	F	F	T	L	V	D	M

BALLOON
BRAIN
BROOM
CASTLE
CLASSIC
COLOR
COURAGE
DANCE
DOG
EMERALD
FANTASY
GLINDA
HEART
HOME
HOUSE
LION
LOLLIPOP
MGM
MOVIE
MUSIC
RAINBOW
SHOES
SLIPPERS
SONG
TIN
TOTO
TWISTER
WITCH
WIZARD
YELLOW

Which Way?

V	P	S	P	Q	T	O	W	N	S	D	N	F	S
P	D	K	T	Y	Q	V	Z	X	D	I	H	P	M
S	R	A	E	N	L	E	V	A	R	T	G	L	S
D	E	D	I	U	G	R	D	H	A	C	T	N	O
U	N	O	R	T	H	V	D	E	Y	W	U	W	U
R	R	I	V	T	I	S	N	A	R	T	O	E	T
R	O	T	H	C	C	W	E	D	O	L	B	S	H
I	C	U	E	E	O	T	J	O	L	S	A	T	F
G	J	R	T	D	B	E	F	O	R	E	P	A	M
H	U	N	D	E	R	A	F	E	F	L	A	S	N
T	H	G	I	A	R	T	S	M	L	I	T	D	I
P	N	R	M	D	T	H	D	C	X	M	H	S	R

ABOUT
ADVICE
AHEAD
BEFORE
BEHIND
CORNER
DOWN
FOLLOW
GUIDE
LEAD

LEFT
MAP
MILES
NEAR
NORTH
OVER
PATH
RIGHT
ROUTE
SIGN

SOUTH
STRAIGHT
TOO FAR
TOWN
TRANSIT
TRAVEL
TURN
UNDER
WEST
YARDS

Pirating

G	I	L	A	E	T	S	J	E	L	I	H	N	R
C	O	W	R	K	M	U	R	D	E	R	K	P	E
B	M	O	N	E	Y	A	S	L	E	S	S	E	V
G	H	A	Y	I	T	E	R	K	D	O	G	T	I
S	L	S	R	S	I	Y	P	I	O	A	O	P	R
P	C	E	E	L	R	D	A	I	T	O	Q	E	G
V	A	T	B	A	U	R	W	O	L	I	B	G	C
T	P	A	B	N	C	A	B	E	X	L	M	L	S
A	T	R	O	D	E	A	C	I	R	F	A	E	G
O	A	I	R	S	S	A	L	T	U	C	N	G	I
B	I	P	A	R	R	O	T	S	H	I	P	S	E
Q	N	O	P	A	E	W	B	X	F	L	A	G	P

ACT
AFRICA
BARBARY
BOAT
BOOKS
CAPTAIN
CREW
CUTLASS
FINES
FLAG
ISLANDS
LOOT
MARITIME
MONEY
MURDER
PARROT
PEG LEG
PILLAGE
PIRATES
PLANK
RAIDS
RIVER
ROBBERY
SABOTAGE
SECURITY
SHIPS
SHORE
STEAL
VESSELS
WEAPON

Dump Trucks

Q	D	C	M	M	D	U	T	I	R	E	S	S	E
X	O	N	D	A	O	L	N	U	E	W	T	O	T
D	Y	F	D	H	C	T	H	Z	L	O	A	D	S
S	Q	I	F	U	X	H	O	Y	C	R	T	I	A
L	L	B	S	R	M	U	I	R	I	K	E	Q	W
A	M	E	L	E	O	P	H	N	H	E	M	N	Y
R	X	D	E	T	R	A	I	L	E	R	S	L	T
G	Y	L	S	H	U	V	D	N	V	S	E	H	P
E	C	T	E	L	W	D	I	L	G	V	G	X	M
Z	K	D	I	S	L	G	I	C	A	I	B	M	E
Z	H	N	D	C	N	F	F	R	E	V	I	R	D
Q	G	D	V	E	T	C	G	W	T	J	G	U	W

AXLES
BED
BIG
CITY
DIESEL
DIRT
DRIVER
DUMPING
EMPTY
ENGINE
GRAVEL
HAULING
LARGE
LIFT
LOADS
MACHINE
MOTOR
OFF ROAD
RENT
SERVICE
SOD
STATE
TIRES
TRAILERS
UNLOAD
VEHICLE
WASTE
WEIGHT
WHEELS
WORKERS

College

P	L	D	N	O	I	T	I	U	T	U	F	T	S
P	M	E	H	I	G	I	R	L	S	E	L	U	R
U	A	G	A	P	M	C	L	E	M	S	O	N	B
R	X	R	R	R	O	E	L	H	C	R	B	N	F
D	E	E	V	I	N	D	L	I	C	E	A	F	P
U	V	E	A	V	E	I	E	G	L	H	C	U	O
E	A	S	R	A	Y	N	N	H	A	C	H	N	M
K	S	Y	D	T	C	H	N	G	S	A	E	D	O
U	S	O	B	E	R	L	I	N	S	E	L	I	N
D	A	B	I	D	C	A	R	L	E	T	O	N	A
D	R	O	F	X	O	I	G	C	S	U	R	G	Z
P	Z	B	A	Y	L	O	R	E	E	R	A	C	O

BACHELOR
BAYLOR
BOYS
CAREER
CARLETON
CLASSES
CLEMSON
DEGREES
DUKE
EXAM

FUNDING
GIRLS
GRINNELL
HARVARD
LEARNING
LEHIGH
MONEY
OBERLIN
OXFORD
POMONA

PRIVATE
PURDUE
RICE
RULES
SCIENCE
TEACHERS
TUFTS
TUITION
USC
VASSAR

Contract Bridge

R	E	D	I	A	M	O	N	D	S	D	N	A	H
X	U	L	H	C	S	W	P	E	K	C	B	T	P
D	G	B	B	T	O	T	A	C	I	H	I	S	H
Q	U	N	B	A	R	N	R	L	L	A	D	E	F
S	H	M	I	E	T	O	T	A	L	N	D	W	O
B	P	G	M	R	R	I	N	R	T	C	I	P	U
U	Q	A	N	Y	O	T	E	E	A	E	N	L	R
L	V	Q	D	I	T	C	R	R	F	C	G	A	S
C	A	L	L	E	L	U	S	E	A	S	T	Y	O
S	U	I	T	S	S	A	P	M	O	C	C	E	U
M	J	B	R	I	D	G	E	S	K	C	I	R	T
L	E	V	E	L	B	U	O	D	A	V	I	S	H

AUCTION
BIDDING
BRIDGE
CALL
CHANCE
CLUBS
COMPASS
CONTRACT
DEALING
DECLARER
DIAMONDS
DOUBLE
DUMMY
EAST
FOUR
HANDS
LEVEL
NORTH
PARTNERS
PLAYERS
RUBBER
SCORING
SKILL
SOUTH
SPADES
STRATEGY
SUITS
TABLE
TRICKS
WEST

Factories

Y	S	E	T	O	R	O	Y	E	V	N	O	C	N
Q	V	T	L	B	L	O	R	T	N	O	C	O	B
J	P	R	O	D	U	C	T	S	A	F	E	T	Y
Z	A	J	Y	B	N	I	S	N	E	E	B	I	M
U	R	T	R	S	O	P	U	R	A	S	P	E	P
N	T	S	O	R	E	R	D	T	N	L	T	E	D
I	S	S	T	O	U	N	N	O	L	A	P	O	R
O	R	E	C	V	E	H	I	C	L	E	S	W	O
N	D	C	A	W	C	T	O	H	O	I	B	A	B
F	R	O	F	E	A	E	C	Z	C	S	N	G	A
W	O	R	K	T	P	A	C	R	E	A	T	E	L
U	F	P	S	T	I	M	E	S	S	A	M	S	F

BELT
CONTROL
CONVEYOR
CREATE
DETROIT
FACTORY
FORD
INDUSTRY
JOB
LABOR

LINE
MACHINES
MASS
METAL
PACE
PARTS
PLANT
PROCESS
PRODUCT
REPEAT

ROBOTS
ROTE
SAFETY
STATIONS
TEAM
TIME
UNION
VEHICLES
WAGES
WORK

Dolls

Y	V	M	X	V	S	B	I	P	B	A	B	Y	R
A	N	G	O	N	E	D	I	D	Q	E	A	F	D
C	Z	U	B	D	Y	C	S	R	P	L	R	I	N
Y	Z	M	F	H	E	W	H	R	C	C	B	G	D
A	M	O	V	A	B	L	E	I	L	E	I	U	W
L	Z	T	V	I	S	T	R	O	L	L	E	R	O
P	K	H	O	R	E	H	T	M	L	D	U	I	O
A	I	E	O	N	U	H	I	A	Y	D	Q	N	D
P	D	R	D	J	Q	E	U	O	P	U	I	E	E
E	S	U	O	H	S	T	Z	F	N	C	T	O	N
R	H	Q	O	J	I	P	R	E	S	E	N	T	M
N	M	G	A	R	B	P	A	H	U	M	A	N	Z

ANTIQUE
BABY
BARBIE
BISQUE
BOX
CHILD
CLAY
CLOTH
CRIB
CUDDLE
EYES
FASHION
FIGURINE
FUN
HAIR
HOUSE
HUMAN
KIDS
MODEL
MOTHER
MOVABLE
PAPER
PLAY
PRESENT
PRETEND
RAG
RITUAL
STROLLER
VOODOO
WOODEN

Fast Cars

Q	T	E	D	I	R	A	R	R	E	F	G	E	J
P	H	L	J	J	G	A	T	O	B	R	U	T	C
R	R	B	J	I	M	S	L	U	A	Q	G	S	O
I	O	M	L	M	U	E	M	U	R	D	O	A	S
C	T	I	T	A	H	J	L	O	P	E	W	F	T
E	T	N	H	C	I	I	T	A	O	O	V	A	L
Y	L	X	S	H	I	F	T	J	C	T	P	H	Y
A	E	R	P	I	B	R	A	K	E	S	H	C	K
B	O	S	E	N	I	G	N	E	Y	E	P	T	C
P	Y	D	E	E	U	M	O	O	Z	L	Q	U	I
M	Y	T	D	A	V	M	T	H	R	I	L	L	U
E	V	I	R	D	P	O	W	E	R	M	K	C	Q

AGILITY
BRAKES
CLUTCH
COSTLY
DRIVE
ENGINE
EXHAUST
FAST
FERRARI
JAGUAR
MACHINE
MILES
NIMBLE
POPULAR
PORSCHE
POWER
PRICEY
QUICK
REV
RIDE
ROADWAY
SHIFT
SMOOTH
SPEED
THRILL
THROTTLE
TORQUE
TURBO
UPSCALE
ZOOM

Rafting

T	B	S	P	O	R	T	H	R	O	C	K	S	N
S	E	D	A	R	G	T	I	U	S	T	R	I	P
A	Z	S	P	J	W	Q	C	U	R	R	E	N	T
F	I	P	I	A	E	X	T	R	E	M	E	Z	T
T	S	O	C	C	T	N	A	V	I	G	A	T	E
H	P	R	N	K	R	O	U	T	D	O	O	R	S
R	A	D	I	E	I	E	Z	A	A	T	D	E	T
I	C	Z	C	T	N	F	X	R	N	U	R	M	I
L	I	Q	A	A	Y	A	P	E	G	M	I	M	M
L	F	J	M	R	N	L	I	M	E	B	F	U	R
G	N	I	R	A	D	L	L	A	R	L	T	S	E
L	R	A	P	I	D	S	F	C	V	E	S	T	P

CAMERA
CAPSIZE
CURRENT
DANGER
DARING
DRIFT
DROPS
EXERCISE
EXTREME
FALLS
FAST
FLIP
GRADES
HAZARDS
JACKET
MANEUVER
NAVIGATE
OUTDOORS
PERMITS
PICNIC
RAPIDS
ROCKS
SPORT
SUIT
SUMMER
THRILL
TRIP
TUMBLE
VEST
WET

Unicorns

T	X	P	D	S	P	I	R	A	L	O	V	E	X
W	H	I	T	E	G	T	N	E	D	I	A	M	Y
R	O	N	T	O	A	F	G	L	I	A	T	F	R
A	R	K	L	O	M	E	D	I	E	V	A	L	O
G	N	D	G	F	N	T	A	P	E	S	T	R	Y
E	E	D	R	D	T	E	E	M	M	O	G	R	F
N	D	E	Q	X	X	N	H	A	A	T	R	I	A
T	E	R	U	T	A	N	E	O	P	N	E	P	N
L	A	M	I	N	A	R	R	I	R	R	E	A	I
E	T	N	U	T	D	T	O	F	C	N	K	G	W
A	C	I	G	A	M	F	F	E	K	N	P	A	H
T	S	Y	M	B	O	L	A	H	W	R	A	N	I

ANCIENT
ANIMAL
ART
DREAMS
EXTINCT
FIERCE
FOREHEAD
FREE
GENTLE
GOAT

GOLDEN
GREEK
HORNED
LEGEND
LOVE
MAGIC
MAIDEN
MANE
MEDIEVAL
NARWHAL

NATURE
ONE HORN
ORYX
PAGAN
PINK
SPIRAL
SYMBOL
TAIL
TAPESTRY
WHITE

Police

B	P	B	Y	H	O	L	S	T	E	R	I	P	E
O	U	T	S	E	R	G	E	A	N	T	H	A	Z
R	U	R	S	H	M	A	C	E	N	O	S	R	A
D	T	E	G	U	O	T	U	O	E	K	A	T	S
P	E	L	M	L	B	M	R	C	A	N	I	N	E
Y	N	O	I	T	A	T	I	C	S	I	R	E	N
N	G	R	T	C	D	R	T	C	F	L	A	R	E
U	A	A	C	E	G	P	Y	R	I	G	N	A	G
G	R	P	I	T	E	C	A	C	A	D	E	M	Y
F	D	K	V	O	R	E	V	L	O	V	E	R	M
C	N	A	R	R	E	S	T	J	U	D	G	E	X
P	S	U	S	P	E	C	T	N	A	R	R	A	W

ACADEMY
ARREST
ARSON
BADGE
BURGLARY
BUST
CANINE
CITATION
DRAGNET
DUTY
FLARE
GANG
GUN
HOLSTER
HOMICIDE
JUDGE
LAPD
MACE
NYPD
PAROLE
PARTNER
PROTECT
REVOLVER
SECURITY
SERGEANT
SIREN
STAKEOUT
SUSPECT
VICTIM
WARRANT

Wiring

S	I	L	V	E	R	T	L	C	W	P	R	G	H
B	R	A	I	D	O	H	O	I	D	U	A	V	D
O	I	T	E	N	P	A	R	W	C	I	T	P	O
E	N	I	S	T	E	E	L	B	I	X	E	L	F
D	S	G	B	T	I	N	T	E	R	N	E	T	I
I	T	I	U	C	R	I	C	E	T	O	G	C	B
V	A	D	G	E	M	O	T	Q	C	I	A	E	E
W	L	A	W	S	P	U	N	B	E	S	T	N	R
S	L	O	N	P	P	B	K	G	L	N	L	N	S
E	P	A	E	M	E	T	A	L	E	E	O	O	L
I	R	R	O	T	A	V	E	L	E	T	V	C	B
T	J	C	O	A	X	I	A	L	A	N	G	I	S

AUDIO	FIBERS	SILVER
BRAID	FLEXIBLE	STEEL
CIRCUIT	INSTALL	STRONG
COAXIAL	INTERNET	TENSION
COMPUTER	LINE	TIES
CONNECT	METAL	TOWING
COPPER	OPTIC	TRANSMIT
DIGITAL	POWER	VIDEO
ELECTRIC	ROPE	VOLTAGE
ELEVATOR	SIGNAL	WIRE

Flying Balloons

V	I	E	W	I	N	D	I	Q	G	C	A	P	R
N	J	T	F	A	R	C	R	I	A	K	N	I	A
R	A	C	E	C	I	R	B	A	F	O	A	L	T
W	O	L	S	R	K	R	G	N	R	T	E	O	N
S	Z	E	T	E	Q	N	S	C	O	U	T	T	A
G	E	N	I	H	I	Z	A	H	F	F	F	A	Y
N	P	A	V	T	E	D	U	T	I	T	L	A	O
I	P	P	A	E	N	V	E	L	O	P	E	T	U
Y	E	O	L	T	G	K	S	T	E	K	S	A	B
L	L	R	E	N	R	U	B	M	U	I	L	E	H
F	I	P	E	O	P	L	E	M	A	L	F	H	A
V	N	O	O	L	L	A	B	T	N	E	V	A	G

AIRCRAFT
AIRSHIPS
ALTITUDE
BALLOON
BASKETS
BIG
BUOYANT
BURNER
DACRON
ENVELOPE

FABRIC
FESTIVAL
FLAME
FLOATING
FLYING
FUEL
HEAT
HELIUM
HOT AIR
LIFT

PEOPLE
PILOT
PROPANE
RACE
SLOW
TETHER
VENT
VIEW
WIND
ZEPPELIN

Donations

E	L	C	I	H	E	V	I	T	R	U	S	T	M
Y	X	W	K	P	B	Z	U	R	O	N	O	D	M
R	A	C	B	O	L	I	I	H	U	S	R	I	O
E	L	H	O	L	T	E	L	M	E	E	E	A	N
G	M	K	C	I	A	M	D	L	E	H	C	B	E
R	S	U	O	R	E	N	E	G	S	T	E	E	Y
A	D	N	U	F	A	O	K	D	E	O	I	G	Y
N	O	H	T	E	L	E	T	E	I	L	P	I	M
T	Y	D	I	S	B	U	S	M	T	C	T	V	P
S	Z	O	K	I	N	D	N	E	S	S	I	I	P
W	T	O	Y	S	U	P	P	O	R	T	V	N	Z
N	T	F	I	G	C	H	U	R	C	H	S	G	E

AID
ALMS
BEG
BILLS
BLANKETS
BOOKS
CAR
CHURCH
CLOTHES
DONOR

FOOD
FUND
GENEROUS
GIFT
GIVING
GRANTS
ITEMIZE
KINDNESS
MEDICINE
MONEY

PLEDGE
RECEIPT
RESEARCH
SUBSIDY
SUPPORT
TELETHON
TOYS
TRUST
TUITION
VEHICLE

Ocean Life

K	R	A	H	S	K	N	I	U	G	N	E	P	F
F	T	E	V	U	S	A	N	U	T	M	L	P	I
W	I	G	W	P	U	U	S	E	K	A	N	S	S
N	O	N	D	O	L	P	H	I	N	R	C	B	H
A	H	O	S	T	L	L	M	K	U	I	P	A	R
V	C	P	S	C	O	R	T	P	T	T	B	R	I
A	E	S	K	O	M	O	U	A	L	I	R	N	M
L	O	C	E	A	N	F	U	A	T	M	E	A	P
G	E	A	L	P	F	Q	S	A	Z	E	T	C	Y
A	O	L	P	E	A	G	T	T	U	R	T	L	E
E	F	E	R	E	T	S	B	O	L	Q	O	E	A
O	Y	S	T	E	R	W	A	L	R	U	S	O	J

ALGAE
AQUATIC
BARNACLE
DOLPHIN
FINS
FISH
HABITATS
KELP
LOBSTER
MARITIME

MOLLUSK
NAVAL
OCEAN
OCTOPUS
OTTER
OYSTER
PENGUIN
PLANKTON
PUFFERS
RAY

SALT
SCALES
SEA
SHARK
SHRIMP
SNAKES
SPONGE
TUNA
TURTLE
WALRUS

On the Street

M	Y	G	R	E	N	E	T	S	I	R	U	O	T
A	U	E	I	J	T	S	E	S	U	O	H	B	V
R	E	W	E	S	D	U	J	F	Y	B	P	R	C
K	P	W	O	T	N	I	M	D	I	R	W	O	A
E	C	A	Y	E	L	S	S	M	O	L	N	A	R
T	M	O	V	E	M	E	N	T	O	C	S	D	Y
B	R	A	V	E	C	L	E	S	R	C	E	W	S
U	T	A	L	I	M	S	L	E	S	I	X	A	T
H	R	L	F	A	T	E	T	E	D	O	C	Y	O
T	V	F	I	F	Y	E	N	R	U	O	J	T	P
P	O	N	X	F	I	R	E	T	T	I	L	R	Y
A	N	A	B	R	U	C	K	L	A	W	C	A	F

AVENUES
BROADWAY
BUS
CAR
COMMUTE
CONCRETE
DISTRICT
ENERGY
HOUSES
HUB

JOURNEY
LIFE
LITTER
MAIN
MARKET
MOVEMENT
OFFICES
PAVEMENT
PROTEST
SEWER

SMELL
STOP
SUBWAY
TAXIS
TOURIST
TRAFFIC
TRAVEL
TREES
URBAN
WALK

Snoopy's World

W	R	N	X	P	B	A	N	I	M	A	L	I	C
D	W	S	P	I	K	E	J	L	V	U	Y	S	G
J	P	X	R	A	G	O	D	I	E	L	S	F	U
D	O	D	C	N	C	H	A	R	L	E	S	I	N
I	P	E	I	O	S	T	U	A	C	C	U	W	C
S	U	Y	C	S	I	T	S	V	A	O	O	R	I
H	L	C	M	O	L	P	S	R	K	R	M	L	F
F	A	A	N	U	O	I	F	T	B	P	A	I	C
Y	R	P	V	S	E	L	G	G	O	G	F	N	C
T	C	D	P	A	D	O	O	F	Y	P	P	U	P
N	W	U	R	Y	T	T	A	P	V	L	S	S	E
T	R	S	L	B	A	N	W	Z	U	D	A	Y	P

ACE
ANIMAL
AVIATION
BIRD
BROWN
CHARLES
COMIC
DISH
DOG
EARS

FAMOUS
FLYING
FOOD
GOGGLES
HAPPY
JOE COOL
LINUS
LUCY
MUSIC
PATTY

PIANO
PILOT
POPULAR
PUPPY
SALLY
SCARF
SMART
SPIKE
SPOTS
VULTURE

Writing

L	P	E	N	C	I	L	S	Y	I	D	E	A	S
L	A	N	G	U	A	G	E	R	B	C	N	G	I
W	E	I	V	E	R	B	L	T	N	C	I	I	S
R	S	L	P	N	V	F	C	E	F	O	Z	S	E
K	K	T	L	H	I	I	I	O	O	L	A	C	H
L	O	U	O	C	X	D	T	P	R	U	G	I	T
E	O	O	T	R	U	G	R	A	M	M	A	R	Y
V	B	I	B	A	Y	H	A	V	E	N	M	Y	R
O	O	I	D	E	U	Q	I	T	I	R	C	L	A
N	L	M	Y	S	T	E	R	Y	H	A	C	K	I
P	R	O	S	E	P	O	H	S	K	R	O	W	D
P	A	P	E	R	L	A	N	R	U	O	J	Y	M

ARTICLES
AUDIENCE
BOOKS
COLUMN
CREATIVE
CRITIQUE
DIARY
FICTION
FORM
GRAMMAR
HACK
IDEAS
JOURNAL
LANGUAGE
LYRICS
MAGAZINE
MYSTERY
NOTEBOOK
NOVEL
OUTLINE
PAPER
PENCIL
PLOT
POETRY
PROSE
RESEARCH
REVIEW
STORY
THESIS
WORKSHOP

Plants

N	Y	V	A	G	D	I	H	C	R	O	A	A	Y
D	A	L	Z	S	A	M	N	P	I	L	Q	I	S
W	R	Y	I	M	U	R	X	D	O	T	H	N	O
A	P	R	T	L	E	C	D	E	O	T	T	O	I
T	S	A	E	S	I	N	S	E	N	O	T	G	L
E	N	A	L	T	U	M	U	I	N	A	R	E	G
R	F	S	O	M	B	C	C	R	B	I	P	B	D
Y	E	X	I	Y	S	A	O	R	P	I	A	O	A
Q	E	W	V	R	Y	C	M	R	K	X	H	N	I
Q	N	I	O	H	I	T	L	B	C	H	R	S	S
Z	U	C	O	L	E	U	S	Y	O	E	W	A	Y
B	S	U	C	I	F	S	B	M	F	O	X	I	G

ALOE
BAMBOO
BEGONIA
BONSAI
CACTUS
COLEUS
CROCUS
DAISY
EXOTIC
FERN
FICUS
FLOWER
GARDENIA
GERANIUM
HIBISCUS
HYACINTH
INDOOR
IRIS
IVY
LEAFY
LILY
ORCHID
PALMS
POTTED
PRUNE
SOIL
SPRAY
SUN
VIOLET
WATER

Barrels

R	V	F	P	B	O	U	R	B	O	N	U	G	U
K	F	O	P	G	R	M	G	Y	D	J	S	N	F
B	L	H	S	I	F	E	I	A	B	L	I	O	Q
R	J	K	Q	S	C	C	W	R	E	T	A	W	I
L	N	X	P	U	X	K	O	E	G	R	A	L	I
U	S	A	O	S	T	W	L	L	R	E	R	H	Y
Q	T	V	R	A	N	E	L	E	O	Y	C	U	L
N	K	N	K	G	S	E	O	T	V	N	R	D	S
G	L	P	N	S	O	T	H	Q	A	P	O	O	H
R	P	I	E	K	A	O	O	R	L	O	Q	K	I
U	G	V	D	U	T	C	T	R	F	U	E	L	P
A	M	O	U	N	T	W	I	N	E	G	J	V	N

AGING
AMOUNT
BOURBON
BREWERY
BROWN
CASK
FISH
FLAVOR
FOOD
FUEL

GAS
GUN
HOLLOW
HOOP
KEG
LARGE
LID
OAK
OIL
PICKLE

PORK
RANCH
RIM
SHIP
STORE
TAP
UNIT
VESSEL
WATER
WINE

Ballet

S	P	S	U	S	S	E	D	O	U	B	L	E	A
E	U	R	X	Y	N	D	B	A	R	R	E	R	T
O	E	R	A	C	H	A	A	I	C	I	T	T	E
T	L	M	R	C	S	S	L	U	O	S	U	A	M
J	O	O	F	G	T	S	A	O	D	E	R	U	P
B	I	V	R	W	A	I	N	G	A	N	N	Q	O
X	R	E	A	G	G	L	C	O	N	Y	O	Q	I
P	B	M	P	Y	E	G	E	E	S	I	U	F	G
M	A	E	P	A	P	L	O	M	B	S	T	L	A
U	C	N	E	M	I	M	L	M	U	S	I	C	D
J	R	T	G	N	I	C	N	A	D	J	B	O	A
T	U	T	U	D	N	E	T	I	L	P	S	Z	P

ACTING
ADAGIO
ALLEGRO
APLOMB
BALANCE
BARRE
CABRIOLE
CODA
DANCING
DESSUS

DOUBLE
EN CROIX
FONDU
FRAPPE
GLISSADE
JUMP
MIME
MOVEMENT
MUSIC
POISSON

PRACTICE
QUATRE
RISE
SPLIT
STAGE
TEMPO
TENDU
TOES
TURNOUT
TUTU

Triathlon

S	T	R	A	I	N	I	N	G	M	H	H	B	J
E	N	U	Q	K	N	O	H	T	A	R	A	M	D
O	I	N	U	O	D	E	M	I	T	L	W	R	S
H	R	N	A	L	C	A	T	R	A	Z	A	W	D
S	P	I	B	Y	U	B	E	N	E	F	I	T	S
T	S	N	I	M	R	A	C	E	T	M	I	C	E
I	S	G	K	P	P	E	J	I	M	C	U	R	L
U	Y	E	E	I	D	G	N	I	L	C	Y	C	C
S	D	V	T	C	C	G	N	I	K	I	B	R	Y
T	N	E	U	S	N	G	K	E	S	R	U	O	C
E	E	N	J	O	A	G	N	A	M	N	O	R	I
W	Y	T	L	L	U	F	I	T	N	E	S	S	B

ALCATRAZ
AQUABIKE
BALANCED
BENEFITS
BICYCLE
BIKING
COURSE
CYCLING
DRAFTING
EVENT

FASTEST
FITNESS
FULL
HARD
HAWAII
IRONMAN
JIM CURL
LONG
MARATHON
OLYMPICS

RACE
RUNNING
SHOES
SPRINT
SWIMMING
SYDNEY
TIMED
TRAINING
WETSUIT
WTC

Marching Bands

G	S	T	E	P	S	U	N	I	F	O	R	M	C
R	H	Y	T	H	M	U	I	D	A	T	S	E	M
O	O	B	R	E	T	U	L	F	I	E	L	D	C
U	R	C	O	U	T	D	O	O	R	S	A	A	A
P	N	A	L	L	A	B	T	O	O	F	B	R	P
T	S	D	K	Y	R	A	T	I	L	I	M	A	E
U	M	E	C	I	T	C	A	R	P	G	Y	P	S
B	A	N	X	H	E	N	K	A	L	L	C	A	C
A	R	C	T	R	O	M	B	O	N	E	S	G	H
V	C	E	I	T	U	C	V	T	B	H	S	N	O
X	H	D	A	R	L	E	A	D	E	R	A	O	O
L	H	B	D	S	S	H	S	S	A	R	B	S	L

BASS
BATON
BRASS
CADENCE
CAPES
CYMBALS
DIRECTOR
DRUM
FIELD
FLUTE
FOOTBALL
GLOVES
GROUP
HAT
HORNS
LEADER
MARCH
MILITARY
OUTDOORS
PARADE
PRACTICE
RHYTHM
SASHES
SCHOOL
SONG
STADIUM
STEPS
TROMBONE
TUBA
UNIFORM

Under Construction

E	Z	O	D	L	L	U	B	C	M	I	X	E	R
R	J	O	I	N	T	U	N	N	E	L	S	N	B
Y	O	C	H	A	I	N	S	A	W	S	W	A	R
W	W	A	O	L	E	E	T	S	K	S	C	R	I
Z	R	Q	D	N	A	F	F	C	Y	K	N	C	D
I	E	I	E	S	C	H	I	G	H	W	A	Y	G
G	N	I	F	O	O	R	L	O	R	N	I	R	E
G	C	M	A	E	B	E	E	E	I	I	L	N	X
L	H	S	E	S	S	U	R	T	V	A	S	O	O
A	L	P	L	I	E	R	S	W	E	R	C	S	B
S	H	A	H	R	E	B	M	I	T	D	F	A	V
S	U	C	W	P	A	I	N	T	S	H	L	M	B

BACKHOE
BEAM
BRICKS
BRIDGE
BUILDING
BULLDOZE
CHAINSAW
CHISEL
CONCRETE
CRANE

DRAIN
GLASS
HIGHWAY
JOINT
MASONRY
MIXER
NAILS
PAINT
PLIERS
RIVETS

ROADS
ROOFING
SCREWS
STEEL
TIMBER
TRUSSES
TUNNELS
WALL
WOOD
WRENCH

Can You Hear It?

E	S	R	C	Z	V	O	L	U	M	E	G	C	S
O	N	C	K	G	G	V	O	I	C	E	I	E	L
E	N	O	I	G	N	I	G	N	I	S	N	Y	J
O	A	A	T	S	W	I	E	Z	U	S	E	G	A
E	L	C	I	P	Y	L	K	M	E	L	T	R	P
R	A	O	M	P	I	H	L	L	L	C	S	E	I
E	R	U	S	S	E	R	P	I	A	I	I	N	T
T	M	S	N	R	E	D	N	U	H	T	L	E	C
S	Z	T	A	T	P	G	W	Z	Z	A	D	R	H
R	E	I	R	R	A	B	O	O	M	T	A	I	R
O	I	C	T	K	L	E	V	E	L	S	Y	V	N
V	K	D	G	X	C	M	E	C	H	O	P	J	W

ACOUSTIC
AIR
ALARM
BARRIER
BOOM
CLAP
CRASH
DIN
ECHO
ENERGY
LEVEL
LISTEN
LOW
MUSIC
PHYSICS
PIANO
PITCH
PRESSURE
SENSE
SILENCE
SINGING
STATIC
STEREO
TALKING
THUNDER
TONE
TRANSMIT
VOICE
VOLUME
YELLING

Wilderness Survival

U	F	I	T	N	E	S	S	I	G	N	A	L	K
G	H	T	K	Y	D	C	R	S	F	M	J	S	A
F	O	R	E	S	T	E	M	O	A	A	U	Q	R
W	E	A	T	H	E	R	R	T	O	P	S	H	C
Y	T	I	L	I	B	A	E	A	P	D	M	A	T
K	G	N	T	K	G	S	C	L	P	F	T	O	I
N	N	I	E	I	T	H	I	A	P	E	O	U	C
I	I	N	N	N	L	E	T	L	M	L	R	O	O
H	H	G	T	G	S	L	C	Q	S	P	A	P	D
T	S	H	A	B	I	T	A	T	F	L	I	N	T
D	I	S	A	S	T	E	R	E	A	T	I	N	G
E	F	I	N	K	G	R	P	R	E	H	T	A	G

ABILITY
ARCTIC
CAMPING
COMPASS
DISASTER
EATING
FISHING
FITNESS
FLINT
FOOD

FORAGING
FOREST
GATHER
HABITAT
HIKING
KNIFE
MAP
OUTDOOR
PLAN
PRACTICE

PREPARED
SHELTER
SIGNAL
SUPPLIES
TENT
TEST
THINK
TOOLS
TRAINING
WEATHER

Economics

P	M	O	N	E	Y	X	G	D	P	R	I	C	E
O	K	E	L	T	I	C	I	F	E	D	O	M	D
L	N	R	E	M	U	S	N	O	C	S	K	Y	A
I	A	Q	U	T	S	E	R	E	T	N	I	R	R
C	B	T	F	F	T	F	S	S	R	Z	E	E	T
Y	N	G	I	I	I	T	I	D	E	R	C	V	B
W	L	R	F	P	C	N	S	S	O	D	U	O	E
G	N	O	I	T	A	X	A	T	C	O	J	C	D
N	R	W	S	Z	S	C	G	N	E	A	G	E	H
P	U	T	P	S	H	O	X	M	C	S	L	R	K
C	Z	H	O	S	E	C	I	V	R	E	S	J	I
X	M	O	O	B	U	S	I	N	E	S	S	A	R

ASSETS
BANK
BOOM
BUSINESS
CAPITAL
CASH
CONSUMER
COSTS
CREDIT
CURRENCY
DEBT
DEFICIT
FINANCES
FISCAL
FUEL
GDP
GNP
GOODS
GROWTH
INTEREST
JOB
LOSSES
MONEY
POLICY
PRICE
PROFIT
RECOVERY
SERVICES
TAXATION
TRADE

Boy Names

N	Y	J	O	Z	E	K	I	M	R	E	L	Y	T
I	I	E	J	H	D	J	R	R	J	E	F	F	H
N	S	C	O	T	T	R	O	B	E	R	T	X	W
G	A	Y	H	J	G	S	A	H	V	T	K	E	N
K	G	D	K	O	C	F	U	W	N	T	L	A	P
E	W	D	R	N	L	B	H	C	D	N	O	A	H
V	N	D	B	O	M	A	T	T	H	E	W	R	W
I	O	B	Y	S	J	D	S	M	H	C	Q	O	E
N	S	D	L	A	H	E	R	M	A	N	B	N	S
Z	A	U	K	J	A	R	D	A	D	I	H	A	L
X	M	J	B	N	W	A	H	S	A	V	G	L	E
S	P	T	K	C	A	J	I	M	M	I	C	A	Y

AARON
ADAM
ALAN
EDWARD
FLOYD
GORDON
HERMAN
JACK
JARED
JASON
JEFF
JIM
JOEY
JOHN
JORDAN
KEVIN
MASON
MATTHEW
MIKE
NICHOLAS
NOAH
PETER
ROBERT
SAM
SCOTT
SHAWN
TYLER
VINCENT
WALTER
WESLEY

Mimes

B	K	E	C	N	A	D	H	S	N	S	G	N	J
R	S	E	R	P	M	K	C	Q	G	H	U	T	D
O	A	Y	E	E	V	U	I	C	L	O	W	N	F
T	M	U	T	R	M	Q	M	C	O	W	A	S	U
A	A	R	A	F	G	Y	O	M	V	H	N	I	N
T	A	W	E	O	D	H	C	N	E	R	F	L	N
I	N	H	H	R	R	P	O	H	S	R	O	E	Y
M	C	I	T	M	U	F	K	E	A	T	O	N	B
I	I	T	E	E	R	T	S	R	O	P	E	T	O
W	S	E	K	P	H	Y	S	I	C	A	L	T	X
W	U	A	S	U	O	I	R	E	S	Z	C	I	N
N	M	I	M	I	N	G	C	E	G	A	T	S	N

ACT
ART
BOX
CHAPLIN
CLOWN
COMIC
DANCE
FRENCH
FUNNY
GESTURE
GLOVES
GREEK
HAND
IMITATOR
KEATON
MAKEUP
MASK
MIMING
MUMMER
MUSIC
PERFORM
PHYSICAL
ROPE
SERIOUS
SHOW
SILENT
STAGE
STREET
THEATER
WHITE

Mother Teresa

N	A	M	O	W	I	N	D	I	A	N	H	B	G
V	A	L	B	A	N	I	A	N	G	E	L	I	C
D	D	K	E	T	J	C	S	N	R	E	V	H	A
W	V	P	B	A	D	S	I	O	S	E	K	O	R
O	O	L	G	K	E	Y	K	S	O	P	H	L	I
P	C	E	D	L	D	L	E	P	R	O	S	Y	N
K	A	H	F	O	J	D	O	G	P	V	E	H	G
C	T	L	A	K	F	A	I	T	H	E	R	C	N
I	E	M	I	R	A	C	L	E	A	R	V	R	I
S	R	E	T	S	I	S	Y	A	N	T	I	U	V
H	R	N	A	C	I	T	A	V	S	Y	C	H	O
J	R	O	O	P	R	A	Y	E	R	N	E	C	L

ADVOCATE
ALBANIAN
ANGELIC
BLESSED
CARING
CHARITY
CHURCH
DYING
FAITH
GIVE
GOD
HELP
HERO
HOLY
INDIAN
KOLKATA
LEPROSY
LOVING
MIRACLE
ORPHANS
POOR
POPE
POVERTY
PRAYER
SELFLESS
SERVICE
SICK
SISTERS
VATICAN
WOMAN

Referees

Y	T	L	A	N	E	P	L	A	Y	M	A	E	T
F	E	V	L	D	N	E	P	S	U	S	D	L	E
S	L	L	R	A	H	E	D	B	O	X	I	N	G
T	G	A	L	I	B	E	J	F	I	E	L	D	D
R	C	N	G	O	S	E	T	E	L	H	T	A	U
I	T	A	I	A	W	B	S	O	C	C	E	R	J
P	E	R	I	N	A	L	L	A	B	T	O	O	F
E	N	B	E	L	R	I	A	F	B	M	I	N	F
S	N	I	L	D	L	A	I	C	I	F	F	O	I
U	I	T	D	H	R	Z	W	H	I	T	E	I	N
O	S	E	H	C	A	O	C	T	U	F	C	N	A
E	C	R	O	F	N	E	U	T	R	A	L	U	L

ARBITER
ATHLETES
BASEBALL
BOXING
CARD
COACHES
EJECTION
ENFORCE
FAIR
FIELD
FINAL
FLAG
FOOTBALL
JUDGE
NEUTRAL
OFFICIAL
ORDER
PENALTY
PLAY
SOCCER
SOFTBALL
STRIPES
SUSPEND
TEAM
TENNIS
UNBIASED
UNION
WARNINGS
WHITE
YELLOW

Landscaping

K	C	E	D	P	W	F	N	N	T	Y	B	C	L
T	L	M	T	L	B	E	N	C	H	S	Y	L	L
M	C	G	A	A	K	N	E	M	O	W	I	N	G
U	O	P	K	N	R	C	P	D	T	F	C	E	E
R	M	R	E	T	U	E	U	H	I	L	G	D	K
O	P	U	F	S	G	R	A	D	I	N	G	R	C
S	O	N	L	F	O	T	E	P	I	I	G	A	I
E	S	I	O	C	C	H	P	M	N	S	U	G	R
S	T	N	W	H	H	I	M	G	N	I	W	S	B
E	I	G	E	G	N	I	L	E	V	E	L	U	M
E	E	P	R	G	R	D	N	P	A	T	I	O	T
D	S	V	S	T	O	N	E	G	R	O	C	K	S

AERATE
BENCH
BRICK
CLIPPING
COMPOST
DECK
EDGING
FENCE
FILL
FLOWERS
GARDEN
GRADING
HOSE
LEVELING
MANURE
MOWING
MULCHING
PATIO
PLANTS
PRUNING
ROCKS
ROSES
SEED
SOD
STONE
SWING
THATCH
TIES
TRIMMING
WEEDING

Driving Lessons

R	I	Q	M	G	D	W	L	A	S	H	I	F	T
U	O	A	P	E	R	M	I	T	A	E	S	A	G
L	X	A	G	O	E	L	I	B	U	M	P	E	R
E	J	P	D	N	C	M	I	S	L	U	S	J	E
S	B	R	E	V	I	R	D	C	E	R	A	C	N
T	D	D	P	L	T	S	T	E	E	R	I	N	G
H	C	T	U	L	C	R	S	V	H	N	I	B	I
G	L	A	U	N	A	M	E	O	W	P	S	T	N
I	G	N	T	F	R	R	R	B	R	A	K	E	E
L	D	V	F	S	P	K	R	A	P	C	N	B	Y
N	S	I	G	N	S	A	E	H	L	A	W	S	Z
V	C	O	N	E	S	G	M	J	L	F	K	C	A

BRAKE
BUMPER
CAR
CLUTCH
CONES
CROSSING
DRIVER
ENGINE
EXAM
GAS

GEAR
LANE
LAWS
LICENSE
LIGHTS
LIMITS
MANUAL
PARK
PERMIT
PRACTICE

REVERSE
ROAD
RULES
SEAT
SHIFT
SIGNS
STEERING
TIRES
TRAFFIC
WHEEL

In the Desert

S	F	A	T	O	H	E	A	T	A	R	Y	M	P
V	C	G	B	H	D	A	O	T	S	E	R	N	Y
V	U	M	L	I	Z	A	R	D	D	K	C	R	D
L	T	L	W	O	S	V	E	E	A	A	B	N	N
I	D	W	T	U	C	S	E	T	M	N	A	R	H
X	I	U	T	U	O	Q	D	E	O	S	T	A	Y
R	R	C	N	L	R	S	L	C	N	Y	W	M	Y
O	A	S	A	E	P	E	G	E	C	K	O	Q	A
C	P	T	U	I	I	F	O	I	M	U	N	C	L
K	E	W	D	N	O	J	O	A	S	I	S	A	I
S	K	E	J	X	N	S	H	E	E	P	R	H	G
D	R	W	I	N	D	Y	D	U	T	K	S	S	P

ARID
BAT
CACTUS
CAMEL
COYOTE
DEER
DESOLATE
DUNE
FOX
GECKO

HARE
HAWK
HEAT
HOT
LIZARD
MOUSE
NOMADS
OASIS
OWL
RAT

ROCKS
SAND
SCORPION
SHEEP
SNAKE
SPIDER
SUNNY
TOAD
VULTURE
WINDY

It Might Be Blue

I	S	S	T	N	A	P	R	F	D	I	V	Z	P
S	L	O	S	K	C	O	S	U	N	B	L	S	T
E	T	O	C	E	A	N	N	K	O	L	N	H	A
A	L	E	K	E	R	I	H	P	P	A	S	I	Y
Q	L	A	L	N	F	D	Q	G	E	N	E	R	S
W	L	D	O	O	M	T	R	J	X	K	H	T	K
J	P	S	R	Y	I	E	Y	I	W	E	T	O	Y
L	V	M	E	A	O	V	D	A	B	T	O	E	I
V	Z	U	W	R	N	L	T	N	T	B	L	Y	I
Z	Y	R	O	C	N	E	A	U	R	A	C	E	A
C	J	F	L	P	R	V	P	D	H	S	I	F	A
E	X	O	F	C	Y	R	L	W	C	K	B	M	P

BIRD
BLANKET
BOOK
CAR
CLOTHES
CRAYON
DRESS
EYE
FISH
FLOWER

INK
JEANS
LAKE
MOOD
NAVY
OCEAN
PANTS
PEN
POND
SAPPHIRE

SEA
SHIRT
SKY
SMURF
SOCKS
UNIFORM
VELVET
VIOLETS
WATER
WHALE

Descriptions

P	V	Y	M	A	E	R	C	A	J	F	L	J	D
W	E	H	T	F	O	S	P	N	I	U	O	O	K
F	D	S	S	E	G	D	I	R	A	Z	O	X	G
I	E	I	S	J	V	R	M	D	S	Z	S	B	X
N	V	U	M	Y	F	L	U	F	F	Y	E	S	Z
E	O	Q	O	P	Y	D	E	G	G	A	J	L	Q
V	O	S	O	M	L	B	R	V	G	B	Q	I	R
E	R	I	T	U	K	E	B	Y	W	E	H	C	D
W	G	L	H	L	C	Y	D	N	A	S	D	K	U
E	Y	K	G	R	I	T	T	Y	G	N	O	P	S
T	R	Y	E	C	R	U	B	B	E	R	Y	V	T
I	E	B	U	M	P	Y	R	I	A	H	H	Z	Y

BUMPY
CHEWY
CREAMY
DIMPLED
DRY
DUSTY
EVEN
FINE
FIRM
FLUFFY

FUZZY
GRITTY
GROOVED
HAIRY
JAGGED
LOOSE
LUMPY
PRICKLY
RIDGES
RUBBERY

RUGGED
SANDY
SILKY
SLICK
SMOOTH
SOFT
SPONGY
SQUISHY
VELVETY
WET

Sponges

J	F	E	R	A	U	Q	S	P	O	N	G	I	A
L	E	M	R	P	E	I	K	T	Y	N	W	O	W
K	A	L	O	B	N	A	E	S	O	V	R	E	C
Y	W	R	L	K	A	B	L	Q	A	O	C	N	U
L	E	Y	O	Y	D	C	E	U	A	F	L	I	M
S	T	H	O	C	I	W	T	E	D	O	E	R	C
A	V	S	F	T	S	A	O	E	U	S	A	A	Z
O	D	I	A	J	H	S	N	Z	R	S	N	M	B
C	E	U	H	H	E	H	H	E	F	I	C	A	U
E	Q	Q	B	L	S	T	P	U	M	L	A	W	T
A	Q	S	O	L	A	R	V	A	E	S	O	P	Z
N	Y	H	B	B	M	U	L	Y	H	P	Y	W	F

ANIMAL
AQUATIC
BACTERIA
BATH
BOB
CLEAN
CORAL
DISHES
FOSSILS
HOLES

JELLY
LARVAE
LOOFAH
MARINE
OCEAN
PHYLUM
PORES
SEA
SINK
SKELETON

SOP
SPONGIA
SQUARE
SQUEEZE
SQUISHY
TAN
TOOL
TUB
WASH
WET

Chandeliers

P	O	R	D	L	W	H	A	D	B	L	U	B	Y
R	A	L	A	M	P	R	O	C	E	D	R	T	C
I	D	T	L	E	T	D	G	U	I	A	H	B	N
S	E	C	A	L	K	C	E	N	S	G	A	Z	A
M	R	S	M	E	K	D	I	S	I	E	C	H	F
R	U	B	O	G	B	N	U	L	I	L	D	O	R
P	T	R	O	A	G	U	B	W	A	G	I	M	E
V	X	I	R	N	O	O	T	S	E	F	N	E	N
C	I	G	N	T	O	R	S	Y	P	O	N	A	C
W	F	H	A	N	G	I	N	G	V	P	O	O	H
D	I	T	T	P	C	Y	R	U	X	U	L	U	Z
S	D	A	E	B	U	K	D	P	U	J	I	I	R

ART
BEAD
BRASS
BRIGHT
BULB
CANOPY
CEILING
CLASSIC
DECOR
DESIGN
DINING
DROP
ELEGANT
FANCY
FESTOON
FIXTURE
FRENCH
HANGING
HOME
HOOP
HOUSE
LAMP
LIGHT
LUXURY
METAL
NECKLACE
ORNATE
PRISM
ROOM
ROUND

Traffic

Q	O	L	S	I	M	P	E	D	E	T	U	O	R
J	Z	E	T	R	U	C	K	O	D	W	O	R	C
I	W	V	H	O	N	S	P	E	E	D	A	H	E
U	I	A	G	E	E	L	C	A	T	S	B	O	X
S	G	R	I	D	L	O	C	K	O	D	U	N	I
T	N	T	L	T	Q	C	F	U	U	H	M	K	T
O	A	A	B	L	I	N	K	E	R	S	P	I	R
P	M	A	R	D	R	I	V	I	N	G	E	N	O
T	F	S	E	L	C	I	H	E	V	K	R	G	A
I	G	N	I	V	O	M	Y	S	O	U	S	F	D
M	T	C	I	T	Y	A	W	H	G	I	H	C	S
E	G	W	R	E	C	K	C	O	L	B	P	X	E

ACCIDENT
BLINKERS
BLOCK
BUMPERS
CHOKE
CITY
CROWD
DETOUR
DRIVING
EXIT
GRIDLOCK
HIGHWAY
HONKING
IMPEDE
LIGHTS
MOVING
OBSTACLE
PATIENCE
RAMP
ROADS
ROUTE
SNARL
SPEED
STOP
TIME
TRAVEL
TRUCK
VEHICLES
WAIT
WRECK

Canned Soup

L	J	P	R	R	H	H	H	O	M	E	O	V	H
A	A	I	R	Y	C	T	P	U	O	S	C	S	Z
O	C	E	M	O	O	R	H	S	U	M	G	C	M
E	H	X	M	R	D	M	A	E	R	C	O	M	J
A	U	H	B	U	K	U	S	C	V	O	M	S	D
T	N	E	K	C	I	H	C	A	K	G	W	N	E
I	K	A	S	R	D	D	R	T	O	E	A	A	R
H	Y	L	Q	L	S	I	O	O	S	R	R	C	K
K	I	T	C	H	E	N	D	S	B	M	H	S	H
I	W	H	I	T	E	B	B	O	S	T	O	C	K
F	J	Y	Y	T	O	M	A	T	O	T	L	A	S
I	V	R	W	N	O	O	D	L	E	F	M	P	S

BRAND
BROTH
CANS
CHICKEN
CHUNKY
COOK
CRACKERS
CREAM
EAT
FOOD

HEALTHY
HOME
KIDS
KITCHEN
LABELS
MEAL
MMM GOOD
MUSHROOM
NOODLE
PRODUCTS

RED
RICE
SALT
SODIUM
SOUP
STOCK
TOMATO
VARIETY
WARHOL
WHITE

Chemistry Knowledge

F	J	H	E	J	D	E	N	S	I	T	Y	Y	S
T	E	Z	I	N	C	F	O	R	M	U	L	A	T
E	G	A	D	I	C	A	R	E	K	A	E	B	U
A	N	N	E	G	O	R	T	I	N	R	S	I	D
C	A	F	I	N	A	L	C	A	T	E	R	S	E
H	H	Y	D	R	O	G	E	N	L	M	E	N	N
E	C	E	L	U	C	E	L	O	M	Y	W	E	T
R	I	S	O	T	O	P	E	Q	X	L	S	U	L
B	E	L	B	O	N	E	G	Y	X	O	N	T	U
M	A	T	T	E	R	Q	U	I	Z	P	A	R	S
G	A	S	D	N	O	B	U	R	N	E	R	O	E
E	C	N	E	I	C	S	U	E	L	C	U	N	R

ACID
ANSWERS
BASE
BEAKER
BONDS
BURNER
CATALYST
CHANGE
DENSITY
ELECTRON
FINAL
FORMULA
GAS
HYDROGEN
ISOTOPE
MASS
MATTER
MOLECULE
NEUTRON
NITROGEN
NOBLE
NUCLEUS
OXYGEN
POLYMER
QUIZ
RESULT
SCIENCE
STUDENT
TEACHER
ZINC

Snakes

T	X	B	O	F	S	E	D	E	N	D	A	Y	E
E	Q	L	L	O	W	T	E	E	T	H	E	G	G
I	F	C	O	B	R	A	O	C	O	I	L	H	W
L	Y	Z	A	E	K	R	T	R	S	R	B	G	S
G	V	N	S	I	H	A	E	E	Y	T	N	O	Q
E	Y	E	S	C	L	T	L	P	R	I	X	S	U
Q	D	D	N	L	H	A	M	F	T	T	L	K	A
D	S	R	O	O	C	D	M	L	O	I	F	I	M
I	E	A	H	S	M	R	U	I	M	A	L	N	A
I	T	G	T	G	N	O	L	Y	N	A	R	I	T
L	U	I	Y	H	M	H	U	G	R	A	S	S	A
X	R	E	P	I	V	C	S	S	I	T	E	P	X

ANIMALIA
ASP
BITE
CHORDATA
COBRA
COIL
DESERT
EDEN
EGG
EYES

FANGS
GARDEN
GRASS
LONG
MOULTING
PET
PIT
PYTHONS
REPTILIA
SCALES

SHED
SKIN
SLIMY
SQUAMATA
STORY
TEETH
VENOMOUS
VIPER
WATER
ZOO

Yoga

T	C	O	I	Y	D	O	B	H	T	A	E	R	B
A	B	H	I	N	D	I	A	E	G	D	I	R	B
N	S	U	A	D	J	H	I	N	D	U	I	S	M
A	G	A	D	K	U	L	A	C	I	S	Y	H	P
Y	P	R	N	D	R	T	L	E	A	A	G	I	O
H	R	T	I	A	H	A	S	M	W	N	C	S	S
D	A	N	M	S	S	I	A	I	I	S	A	T	T
S	C	A	A	S	C	D	S	N	G	K	L	O	U
K	T	T	E	R	H	D	I	M	K	R	M	R	R
O	I	S	E	I	O	A	N	E	Z	I	O	Y	E
O	C	X	F	M	R	H	E	A	L	T	H	U	S
B	E	A	R	T	N	A	M	E	N	T	A	L	P

ASANAS
ASHTANGA
BODY
BOOKS
BREATH
BRIDGE
BUDDHISM
CALM
CHAKRA
CLASSES
DHYANA
EXERCISE
GROUP
HEALTH
HINDUISM
HISTORY
INDIA
MANTRA
MENTAL
MIND
PHYSICAL
POSTURES
PRACTICE
SAMADHI
SANSKRIT
STUDIO
TANTRA
TRAINING
WISDOM
ZEN

Get to the Root

K	T	D	L	A	H	E	R	B	D	S	F	K	P
Z	U	O	N	B	B	A	E	T	E	A	E	C	E
C	B	O	E	S	F	E	I	W	E	E	D	I	P
C	E	F	D	O	T	O	O	R	P	A	T	H	N
O	R	J	R	R	A	L	U	C	S	A	V	T	A
T	Y	E	A	B	M	T	R	O	P	P	U	S	E
A	S	N	G	O	A	E	R	A	T	I	N	G	R
T	U	R	A	B	Y	B	T	F	G	N	A	I	I
O	X	C	A	T	U	O	C	A	R	R	O	T	A
P	Y	G	O	L	O	C	E	L	O	U	O	S	L
K	A	K	B	T	J	B	Y	T	Z	T	Z	W	E
E	Y	R	H	L	I	O	S	P	O	R	C	B	M

ABSORB
AERATING
AERIAL
BEET
BOTANY
BULB
CARROT
CROPS
DEEP
ECOLOGY
FOOD
FOREST
GARDEN
GROW
HAIR
HERB
POTATO
RUTABAGA
SOIL
STORAGE
SUPPORT
TAPROOT
TEA
THICK
TOOTH
TUBER
TURNIP
VASCULAR
WEED
YAM

Desks

U	B	T	I	S	T	U	D	E	N	T	D	E	J
C	O	M	P	U	T	E	R	E	N	R	I	R	E
A	J	T	C	I	O	U	P	M	A	L	E	E	B
L	F	E	A	W	S	B	D	W	N	T	L	Z	L
E	G	A	R	O	T	S	E	Y	T	C	C	H	F
N	N	C	V	O	A	R	U	O	I	N	B	O	X
D	I	H	E	D	C	K	L	B	Q	N	U	M	M
A	T	E	D	K	K	B	U	T	U	A	G	E	O
R	I	R	R	U	S	C	F	L	E	E	T	S	V
F	R	O	C	O	R	N	E	R	I	A	H	C	W
Z	W	D	C	H	C	T	U	H	L	S	U	L	U
E	F	I	L	E	L	B	A	T	R	A	Y	T	E

ANTIQUE
BLOTTER
BUREAU
CALENDAR
CARVED
CHAIR
COMPUTER
CORNER
CUBICLE
DRAWER
FILE
HOME
HUTCH
INBOX
JOB
LAMP
METAL
PEN
SIT
STACKS
STEEL
STORAGE
STUDENT
STUDYING
TABLE
TEACHER
TRAY
WOOD
WORK
WRITING

Colds

R	B	B	E	A	C	M	O	T	P	M	Y	S	D
D	Y	F	U	R	E	C	O	V	E	R	Y	E	I
O	F	L	K	Q	O	Y	F	D	P	B	R	T	H
Z	F	U	C	U	T	S	I	A	L	I	C	L	W
J	U	I	I	I	M	C	S	O	T	H	O	V	C
U	T	D	S	G	I	C	W	N	Y	I	U	I	I
I	S	S	E	N	K	A	E	W	I	A	G	R	T
C	U	L	E	Q	R	M	D	Z	P	F	H	U	S
E	H	M	C	M	L	O	Z	M	E	U	F	S	E
P	O	Q	T	I	S	M	F	E	V	E	R	L	R
H	H	H	A	E	T	Z	J	A	P	A	N	Y	E
G	G	N	Y	U	N	I	A	P	E	E	L	S	S

AILMENT
BLOW
COUGH
FATIGUE
FEVER
FLUIDS
HOME
ITCHY
JUICE
MEDICINE

MOM
NAP
PAIN
PHLEGM
RECOVERY
REST
SICK
SLEEP
SNEEZE
SNIFFLE

SORE
STUFFY
SYMPTOM
SYRUP
TEA
TIRED
TISSUE
VIRUS
WARMTH
WEAKNESS

Fly Fishing

B	Q	V	T	T	I	Y	F	H	C	Y	E	P	S
Y	A	C	C	E	X	R	O	D	S	Y	E	D	Z
T	A	Y	E	G	N	O	M	L	A	S	N	R	F
H	G	O	S	R	K	S	T	E	G	D	A	G	P
M	G	N	N	A	W	E	I	G	H	T	E	D	I
S	O	A	I	T	U	A	S	O	B	P	C	W	K
J	Z	R	R	Y	O	W	D	A	N	I	O	N	E
J	G	O	I	D	T	A	N	D	E	D	N	A	L
S	U	V	F	V	S	T	O	N	K	L	T	L	K
T	T	I	L	E	E	E	P	R	A	C	E	U	C
Y	S	S	M	A	E	R	T	S	L	E	E	R	A
H	B	W	A	D	E	R	S	E	K	A	L	E	T

BAYS
CARP
DRAG
FISH
GADGETS
HOOK
INSECT
KNOTS
LAKES
LANDED
LURE
OCEAN
PIKE
PONDS
PREY
REEL
RELEASE
RIVERS
RODS
SALMON
SEAWATER
SPEY
STREAMS
TACKLE
TARGET
TENSION
TROUT
TYING
WADERS
WEIGHTED

Fondue

K	T	B	R	T	F	D	B	U	O	G	F	X	G
A	R	G	T	J	O	S	Z	B	F	X	W	W	E
V	C	O	T	O	A	H	B	Y	U	I	A	C	A
F	O	D	F	F	P	A	T	Q	N	R	U	B	T
S	O	I	R	L	F	R	O	E	M	A	Z	H	L
A	K	U	Y	S	A	E	H	C	S	R	I	K	U
H	I	Q	N	P	H	M	F	R	E	N	C	H	F
T	T	I	N	T	V	T	E	N	I	P	L	A	I
O	L	L	D	W	A	W	O	I	W	I	H	U	G
R	E	C	I	P	E	I	M	O	O	D	M	Q	I
B	M	Y	P	K	L	A	N	U	M	M	O	C	Y
C	R	B	S	K	C	I	T	S	S	S	I	W	S

ALPINE
BROTH
BURN
COMMUNAL
COOK
DIP
EAT
FLAME
FOOD
FORK
FOUNTAIN
FRENCH
FRUIT
FUN
HOT
KIRSCH
LIQUID
MELT
OIL
PARTY
POT
RECIPE
SAUCE
SHARE
SKEWERS
SMOOTH
STICKS
SWISS
WARM
WINE

Sand Everywhere

N	S	Z	F	J	H	C	M	R	X	E	Z	N	K
G	O	L	F	H	O	I	H	X	M	H	Y	C	F
Z	T	I	P	A	C	I	L	I	S	G	O	Y	Z
R	U	C	S	S	B	A	N	L	O	R	X	S	J
Z	Y	T	M	O	O	E	E	L	F	O	R	H	B
O	R	U	X	V	R	C	O	B	Q	U	I	C	K
A	D	W	S	A	E	E	E	L	G	N	V	A	V
S	S	A	L	G	G	A	D	A	E	D	E	G	C
D	A	T	O	H	A	C	I	C	N	S	R	P	F
H	J	E	A	H	H	B	T	K	O	I	O	X	Y
K	D	R	B	N	H	W	H	I	T	E	T	L	A
L	O	T	H	F	B	X	O	I	S	U	R	F	O

ART
BAGS
BEACH
BLACK
BOX
COAST
DRY
EROSION
GEOLOGY
GLASS
GOLF
GRIT
GROUND
HILL
HOT
MINERAL
MUD
OCEAN
PIT
QUICK
RIVER
ROCK
SEA
SILICA
STONE
SURF
TAN
TIDE
WATER
WHITE

Sunsets

U	Y	T	T	E	R	P	H	S	O	L	A	R	L
L	G	N	I	D	N	E	A	O	H	Y	E	K	R
N	O	E	G	U	A	C	F	G	R	L	N	C	E
U	R	V	B	T	T	R	L	X	O	I	G	O	D
R	A	E	E	I	S	T	K	O	P	A	Z	L	S
E	N	N	L	T	E	W	C	N	U	D	Y	O	U
M	G	I	O	A	W	I	M	I	E	D	K	R	N
M	E	N	W	L	X	L	O	U	G	S	S	F	R
U	M	G	V	A	V	I	O	Q	N	D	S	U	I
S	R	A	T	S	Y	G	N	E	A	T	U	L	S
W	E	I	V	D	N	H	G	G	H	U	E	S	E
U	P	L	A	N	E	T	S	M	C	Q	U	X	K

BELOW
CHANGE
CLOUDS
COLORFUL
COOLER
DAILY
DARKNESS
DUSK
ENDING
EQUINOX
EVENING
HORIZON
HUES
LATITUDE
LOVE
MOON
ORANGE
PINK
PLANETS
PRETTY
REDS
RELAXING
SKY
SOLAR
STARS
SUMMER
SUNRISE
TWILIGHT
VIEW
WEST

Thanks!

I hope you enjoyed this book.

Visit us at funster.com to discover more books that will exercise your brain while you have fun. It's a relaxing way to spend some quality time!

Sincerely,

Charles Timmerman

Charles Timmerman
Email me: games@funster.com

PS- Amazon reviews are extremely important and really help me. Could you leave one now? This link will take you to the Amazon.com review page for this book:

funster.com/review24

Want more word search puzzles?

Try these large-print books
available at Amazon.com

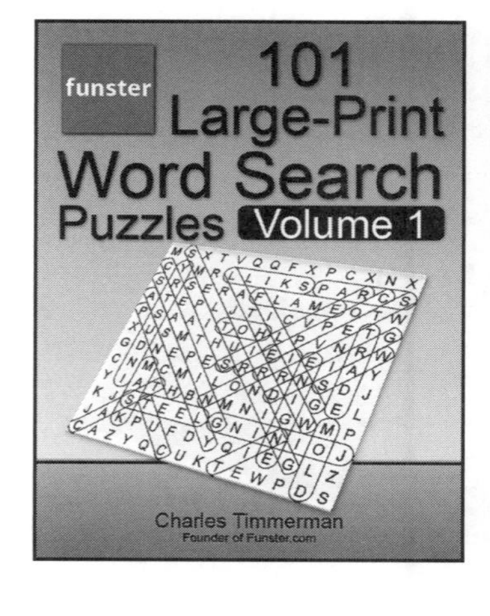

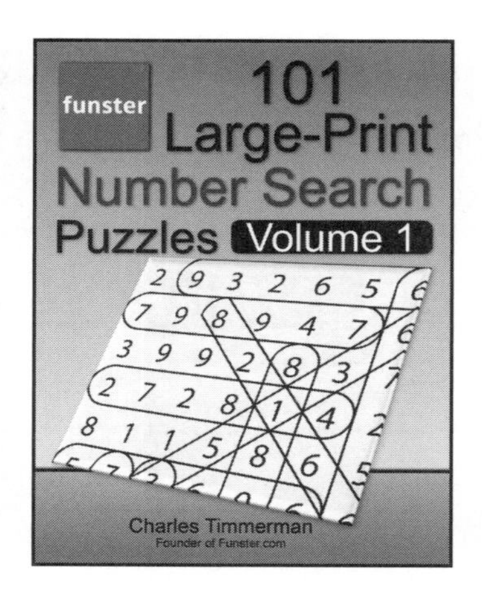

Find all of our books at Amazon.com